EL CAMINO DE LA SINCRONÍA

CÓMO ALINEARTE CON EL FLUJO DE TU VIDA

DR. ALLAN G. HUNTER

Grupo Editorial Tomo, S.A. de C.V.
Nicolás San Juan 1043
03100 México, D.F.

1a. edición, octubre 2014.

The Path of Synchronicity
© Allan G. Hunter 2011
Findhorn Press 117-121 High Street,
Forres IV36 1AB, Scotland, UK

© 2014, Grupo Editorial Tomo, S. A. de C. V.
Nicolás San Juan 1043, Col. Del Valle
03100 México, D. F.
Tels. 5575-6615, 5575-8701 y 5575-0186
Fax. 5575-6695
www.grupotomo.com.mx
ISBN-13: 978-607-415-668-3
Miembro de la Cámara Nacional
de la Industria Editorial No. 2961

Traducción: Graciela Frisbie
Diseño de portada: Karla Silva
Foto de portada: Apollofoto/Shutterstock.com
Formación tipográfica: Francisco Miguel M
Supervisor de producción: Leonardo Figueroa

Este libro se publicó conforme al contrato establecido entre
Findhorn Press y *Grupo Editorial Tomo, S.A. de C.V.*

Impreso en México - *Printed in Mexico*

Los sucesos de nuestra vida reflejan pautas subyacentes que pueden enseñarnos a encontrar nuestro lugar en un futuro que se está desenvolviendo. *El camino de la sincronía* lleva suavemente a los lectores a percibir por primera vez los aspectos misteriosos de la vida y luego a descender al interior de su Ser para discernir cómo las experiencias individuales realzan u obstaculizan la capacidad de vivir en sintonía con el flujo de las energías sincronizadas del cosmos... este libro es una guía oportuna e innovadora.

—JULIE CLAYTON
New Consciousness Review

Hunter es un graduado de Oxford, es terapeuta y profesor de literatura y ha combinado su destreza única para crear uno de los tratados más completos que he leído sobre el descenso a las tinieblas del subconsciente. No solo les dice a sus lectores cómo llegar y qué pueden esperar encontrar una vez que lleguen, sino que detalla de manera específica los entresijos y dificultades que implica sacar los tesoros que se encuentran en esas zonas profundas con el fin de avanzar en el sendero de la transformación espiritual y psíquica. Los títulos de los capítulos de la Primera Parte (la sección de la explicación) incluyen: La Mano que Guía, La Cabeza contra el Corazón, y la Sincronía en la Literatura. La Segunda Parte (que aborda los obstáculos en el ámbito del yo sombrío) tiene títulos como Las Trampas de la Mente y Cómo Construimos la Realidad, Negar el Flujo, La Esperanza de Recibir Ayuda a lo Largo del Camino, y Las Ocho Barreras a la Sincronía. Es un libro dinámico y bien escrito que destaca en el campo de la literatura.

—ANNA JEDRZIEWSKI,
New Age Retailer

Para C.C.B., con amor

CONTENIDO

SEGUNDA PARTE

Los obstáculos a la sincronía

RECONOCIMIENTOS

Cuando se trata de la sincronía inevitablemente es difícil estar por completo seguro de saber por dónde empezar a agradecer a las personas, pues aparecieron tantas que estuvieron dispuestas a ayudarme, y al parecer aparecieron por intervención divina. Pero de todos modos lo voy a intentar. Thierry Bogliolo, de Findhorn Press, definitivamente ocupa el primer lugar, pues a partir de una conversación con él, y gracias a su insistencia, sentí el impulso de escribir sobre sucesos en sincronía tal como aparecen en la literatura y en la historia. Sin él, es posible que este libro no existiera, y yo atesoro su amistad.

Cuando empecé a escribir, varias personas me ofrecieron ayuda y apoyo en formas que también merecen reconocimiento y gratitud. Baptist de Pape, con sus penetrantes preguntas sobre el tema, me ayudó enormemente a lo largo del trayecto, como también lo hicieron Bonnie David, Miriam Knight y Lilou Macé.

Mis estudiantes, con sus debates abiertos sobre la forma en que el destino actúa en la literatura, siempre fueron mis asistentes más desafiantes, y me gustaría mencionar en especial a Brittany Capozzi, Laura Cluff y Samantha Crescitelly, por su perspicacia y sabiduría.

Otras personas que me prestaron una ayuda considerable y son amigos muy queridos, entre ellos, David Whitley

(Universidad de Cambridge), y Andrew Peerless (Universidad de Oxford). Anna Portnoy y Nick Portnoy también me ofrecieron un gran apoyo y me inspiraron el valor para sumergirme en la tarea y escribir más sobre lo que yo sabía. En cada momento, sus comentarios produjeron más perspicacia a medida que yo avanzaba en la tarea.

También quiero expresar mi gratitud a la Sra. Arline Greenleaf y a su hija la Sra. Rebecca Greenleaf Clapp, a la junta directiva de la Seth Sprague Educational and Charitable Foundation, por su constante apoyo, lo que me permitió explorar las ideas que se expresan en estas páginas como parte de un análisis de la literatura y de la forma en que los escritores han abordado el concepto del destino.

Además, el Colegio Curry ofreció un apoyo constante a mi tarea de escribir en diversas formas indirectas, y es un placer para mí expresar mi agradecimiento a Ken Quigley, su presidente; a los miembros de su consejo de administración; CAO David Potash; los Decanos Pennini e Ijiry; a mis colegas, Paula Cabral, el profesor Jeffrey Di Iuglio, Jeannette DeJong, Marcy Holbrook y el Dr. Ronald Warners por sus aportaciones e inspiración. Fuera del campus del Colegio Curry, Daniel Davis, Nora Klaver, Paula Ogier, Michel Lavoie y Suzanne Strempek Shea fueron importantes por su apoyo cordial a mis actividades.

Mi mayor deuda, como siempre, es con Cat Bennett. Nuestras conversaciones enriquecieron mi comprensión y tuve el privilegio de ver cómo en su propia vida se desenvolvían sucesos en sincronía, lo que luego me permitió observar mis propias experiencias desde una nueva perspectiva.

Deseo expresar un torrente de gratitud que nunca será suficientemente grande a Gail Torr, mi incansable y encantadora publicista, y a Nicky Leach, mi inspirada editora que también me dio inspiración. Damian Keenan merece un agradecimiento especial por su espléndido trabajo de diseño. Y Carol Shaw, Sabine Weeke, Mieke Wik y todo el personal de Findhorn Press tienen un lugar especial en mi corazón por todas sus atenciones y devoción a lo largo de los años.

Las buenas obras nunca terminan; y la gratitud tampoco.

INTRODUCCIÓN

"Sucedió algo gracioso"

Dos días después de terminar lo que yo consideraba el borrador final de este libro, se publicó el nuevo libro *The Shadow Effect [El efecto sombra]* escrito por los bien conocidos gurús, Deepak Chopra, Debbie Ford y Marianne Williamson. Eso me sorprendió; en especial porque yo acababa de decidir dar a mi libro el título de "Sincronía, la Sombra y Usted". Había dedicado varios años a tratar de entender el significado de la Sombra y no estaba satisfecho con la mayor parte de lo que había leído sobre el tema; entonces, de pronto, tres autores importantes lanzan un libro precisamente sobre ese tema.

Obviamente, salí corriendo, compré el libro y lo leí ese mismo día.

Encontré que lo que sus autores tenían que decir era maravilloso, y recomiendo ese libro a todo el mundo; sin embargo, aunque abordamos muchos temas similares, su libro es muy diferente a lo que contienen estas páginas. Siento que les faltó cierta información vital. Pero estamos de acuerdo con el tema principal: la Sombra, esa parte desconocida de cada uno de nosotros que es capaz de obstaculizar muchos de nuestros mejores impulsos, es un concepto importante, y entenderlo nos ofrece un camino de salida para liberarnos de acciones destructivas y frustrantes.

Después de cerrar el libro, comprendí algo. Este era un reflejo exacto de la naturaleza de la sincronía, ya que la esencia de la sincronía es que tenemos la opción de elegir cómo responder a ella. Habían ocurrido al mismo tiempo dos sucesos entre los que había un vínculo, y al hacerlo me habían presentado una opción. Una reacción que se abría ante mí era sentirme desilusionado porque al parecer alguien se me había adelantado y había escrito sobre "mi" tema. Pero esa habría sido una reacción bastante absurda y egoísta, ya que no puedo considerar que este sea "mi" tema, como tampoco puedo afirmar que el firmamento sea "mío"; el ego siempre está buscando la oportunidad de sentirse despreciado.

No obstante, había otra opción que se abría ante mí, y la elegí. Reconocí que este suceso era una verdadera bendición. Si había varios libros sobre el tema, serían más las personas que estarían abiertas a la idea de que la Sombra merecía explorarse. Esto sería favorable para los lectores en general, en especial para aquellos que día tras día luchan sin éxito contra sus impulsos más oscuros.

Por tanto, esto es lo importante: si consideramos que la sincronía es casualidad o suerte, entonces podría ser buena o mala, dependiendo de nuestra actitud mental en ese momento. Pero si vemos un suceso como parte de un patrón más grande (en este caso un patrón que permite a más personas unirse a la discusión sobre un tema vital), entonces podemos ver que no se trata de "mi" libro o de "tu" libro, ni de quién escribió qué primero, sino de lo que el mundo necesita observar más de cerca. Al ego, por supuesto, no le agrada ser parte de un patrón. Quiere estar en el centro del escenario. Así que no toma en cuenta algo que no aporte algo a su importancia. Por eso mi ego quería hacer todo un berrinche.

De hecho, cuando ocurren sucesos en sincronía, plantean preguntas bastante difíciles. Pues si admitimos que la sincronía existe, entonces tenemos que aceptar que la vida tiene un propósito en la Tierra que es más importante que salir de compras. Al ego no le interesa esta manera de pensar ya que eso pondría a sus clamores y exigencias en segundo lugar. El ego desea seguir pidiendo cosas que hagan que se sienta importante, no cederle su lugar a un patrón, ni siquiera si se tratara de un patrón divino. Así que trata de convencernos de que ese patrón no existe.

Y así es como funciona la sincronía; poniéndonos a prueba. Ocurre un suceso, coincide con otro suceso, y en ese momento tenemos una opción: podemos restar importancia a ambos sucesos o podemos ver que tal vez está surgiendo un patrón. Y entonces debemos confiar en que el patrón sea útil. Si podemos aferrarnos a esta confianza, entonces los sucesos tienden a llevarnos a otros sucesos. Entramos a un flujo que no es perceptible para quienes dudan.

En las siguientes páginas exploraremos este proceso y veremos que una parte de él, en su nivel más profundo, requiere que intentemos entender la Sombra. Si no entendemos la Sombra, no podremos entrar al flujo completo de la sincronía, esa serie de coincidencias aparentemente milagrosas en las que una puerta abierta lleva a otra puerta abierta en nuestra vida. La Sombra actúa con el ego para tratar de impedir que esto pase, porque si yo trabajo por una causa que es más grande que yo, entonces no puedo estar trabajando también por el ego. Como el ego no cree que algo sea más importante que sí mismo, esto representa una crisis para el ego. El ego responde diciendo "¡eso no es justo!". Recurre al sentimiento de enojo que acecha en el interior de la Sombra y en respuesta se enfurece con nosotros, causándonos todo tipo de problemas. Provoca tanto caos que si no enfrentamos a nuestra Sombra y aprendemos a manejarla, descubriremos que simplemente no seremos capaces de captar nuestra sincronía. La Sombra hará que estemos ciegos y sordos ante la sincronía. Pero una vez que tomamos en cuenta a la Sombra, una vez que vemos cómo funciona, nuestras sincronizaciones parecen estar abiertas a nosotros todo el tiempo.

Para mostrar cómo funciona todo esto he tenido acceso a varias fuentes de información. La primera son las experiencias de las personas que he enseñado y asesorado a lo largo de más de treinta años, y también mis propias experiencias de sincronía. La segunda fuente, que respalda a la primera, se basa en tres mil años de mitos, leyendas y literatura, que en gran medida describen los procesos psíquicos que reflejan los procesos que viven mis estudiantes y las personas que asesoro.

A medida que las personas avanzan hacia un sentido de autenticidad personal y viven la vida en el flujo de la sincronía, de una u otra forma viven versiones de muchos de los grandes relatos y leyendas de nuestra cultura. El hecho de que durante tanto tiempo, tantas obras literarias hayan abordado los mismos temas relacionados con la sincronía y el destino, y lo hayan hecho en la misma forma, es una prueba convincente de la existencia de la sincronía. En cada caso, los protagonistas de la historia tuvieron que luchar contra el ego y la Sombra para alinearse con la sincronía… o con la Fortuna o el Destino, como se le llama comúnmente. La literatura y los mitos proporcionan evidencias abundantes y convincentes de que este es un concepto central en la psique humana que todos compartimos y que Carl Jung denominó "El Inconsciente Colectivo".

Al observar los dos conjuntos de evidencias, las personales y las literarias, podremos ver que el vivir en una sincronía plena depende de varias cosas. En primer lugar debemos señalar que algunos aspectos de nuestra vida son misteriosos, que parece haber un patrón en sincronía y debemos permitirnos sentir curiosidad al respecto. Después debemos permitirnos descender a nuestro ser para descubrir más sobre lo que somos. Algunas personas nunca hacen este viaje, y eso a final de cuentas, resulta una pérdida para ellas.

La idea del descenso, durante el cual encontramos al yo Sombrío, es un aspecto que se repite en la literatura y en los mitos, y es uno de sus aspectos más convincentes. En su forma general, es un sendero que se ha recorrido muchas veces, pero el sendero de cada persona es individual. Ningún sendero es exactamente igual al de otra persona. Quizás por eso tenemos tantos relatos sobre este tema. El viaje al inframundo aparece en los relatos de Odiseo, Orfeo, Perséfone, el Buda, Jesús, Dante, Sir Gawain, el Rey Lear, Hamlet y muchos otros, incluyendo el relato contemporáneo sobre Harry Potter. Nuestros antepasados seguramente estaban muy conscientes de este tema, y nosotros hablamos con familiaridad de tener "noches oscuras del alma"[1] cuando vivimos un periodo de búsqueda personal.

Si nos embarcamos en este viaje a nuestro interior, nos veremos obligados a hacer preguntas sobre nuestras creencias y valores personales. Esto inevitablemente nos lleva a examinar bajo una nueva luz nuestro mundo moral y a admitir nuestras fragilidades. Y cuando de hecho nos encontremos con nuestro Yo Sombrío, descubriremos que tiene el potencial de llegar a ser una fuente de un poder auténtico que nos despertará y nos pondrá en contacto con nuestra compasión profunda… si no huimos de él. Después de aprender gracias a este encuentro, tenemos que resurgir y vivir esa sabiduría, confiando en ella. Esto a su vez abrirá nuestros ojos a una conciencia de la forma en que la sincronía funciona realmente en nuestra vida y a sentir que podemos movernos con ella.

Si esto parece un poco abstracto, no te preocupes. Homero, Dante, Shakespeare y otros han descrito este viaje en formas que encontrarás fáciles de entender, aunque no hayas vuelto a leer las obras de estos autores desde que estabas en la preparatoria. No existe un lenguaje técnico especializado para describir cómo se ve y se siente una transformación psíquica. Estos procesos solo pueden percibirse a través de la metáfora, solo pueden transmitirse a través de los relatos que conocemos como mitos y obras literarias.

A nivel personal, admito que tengo ciertos conocimientos de primera mano sobre la sincronía. Ya mencioné un ejemplo, y quiero añadir que este libro no me dejó descansar hasta que lo escribí. La verdad es que todos mis libros siguieron ese patrón; se acercaban a mí exigiendo que los escribiera. Los sucesos se acumulaban hasta que yo respondía. Sentía como si cada día se me entregara otro trozo de información que me ayudaría en el camino.

No voy a decir que tengo conocimientos superiores o esotéricos, pero estoy familiarizado con el descenso a lo profundo del yo porque lo he practicado y también he ayudado a otros a enfrentarse a ese viaje. El don que esta experiencia ofrece a cada uno de nosotros es que nos permite vivir con más plenitud en la dimensión mítica de la vida.

Y así, a medida que fui escribiendo estas páginas, confié en las sincronizaciones que se cruzaron por mi camino, una tras otra, día tras día, y que me permitieron ver justo hasta donde necesitaba ver para hacer lo que tenía que hacer, y no siempre podemos ver el resultado final... simplemente porque somos humanos.

Tal vez esto te lleve a pensar que soy demasiado limitado, que soy poco fidedigno para escribir para otros. Así que voy a expresarlo en esta forma: un letrero o una señalización no tiene que estar hecho de oro... solo tiene que indicar el camino.

PRIMERA PARTE

¿Qué es la sincronía?

1

¿Sincronía o solo suerte ciega?

Las tres cosas que debemos hacer

La mayoría de nosotros los ha notado… son momentos en que las cosas pasan tal como deben pasar. Son ocasiones en que aparece la persona correcta en el momento perfecto para salvar la situación… ocasiones en que sentimos como si las estrellas se hubieran alineado milagrosamente para llevarnos adonde necesitamos estar. Puedes decir que es buena suerte, karma o coincidencia; puedes decir que es La Mano que nos Guía, el Universo o Dios. Podrías darle las gracias a tu Ángel Guardián, al espíritu de tus ancestros, a tu santo patrono, o simplemente podrías decir que se trata de un milagro.

A veces decimos que esto es la bendición de los "amigos". Vemos a nuestro amigo más querido cuya amistad hemos cultivado a lo largo de décadas y sabemos que no habríamos podido recorrer el camino que recorrimos sin la ayuda de esta persona. Fue exactamente la persona que necesitábamos. Ese amigo bien podría ser un don milagroso.

Hay muchas palabras que podemos usar para intentar describir esto. ¿Pero cómo lo entendemos? Y si lo entendemos, ¿qué vamos a hacer al respecto?

Un día después de casarnos, mi esposa y yo abordamos un avión para ir a Inglaterra, y por primera vez, y la única vez en mi vida, en la que he hecho cientos de viajes en avión, nos cambiaron los boletos a primera clase en forma gratuita. Disfrutamos nuestros lujosos asientos de piel, tomamos champaña, y nos sentimos afortunados. ¿Solo tuvimos buena suerte? ¿O fue un indicio del Universo?

Luego está Bob M., un amigo mío, dueño de una librería. Se había atrasado tres meses en los pagos de su renta, y estaban a punto de cerrar su librería definitivamente. Decidió comprar un billete de la lotería esa noche y que si no pasaba nada se suicidaría. Como también había trabajado como guardia de seguridad, tenía un revolver. Esa noche salieron premiados los cuatro números de su billete; la cantidad que ganó era exactamente lo que necesitaba para pagar su renta. Sintió un gran alivio; estaba feliz, encantado… y también desconcertado. Se preguntaba qué mensaje le estaba dando esto sobre la naturaleza del Universo en el que vivía, y lo que podría significar.

Solo fue una coincidencia, ¿no es cierto?

O como él me dijo, ¿debería pasar más tiempo en la iglesia?

Su situación plantea algunas preguntas importantes. ¿El destino resuelve nuestros problemas? Bueno, sabemos que eso no siempre es verdad. Entonces, ¿por qué resuelve algunos y otros no? Responder a estas preguntas podría significar que tenemos que pensar en nuestras experiencias en formas nuevas, y a veces significa que tenemos que reflexionar sobre una idea varias veces antes de poder sentir su significado.

Kurt Vonnegut, un novelista que aborda con elegancia los resultados extraños de la vida, lo expresa de manera hermosa cuando hace que un personaje excéntrico y cómico de su novela *Barba Azul* reflexiona sobre las extrañas coincidencias de su vida... solo para negar su validez.

> Uno se volvería loco si tomara esas coincidencias demasiado en serio. Podría llegar a sospechar que en el Universo están sucediendo todo tipo de cosas que uno no entiende bien.[1]

Siempre tenemos la opción de aparentar que, después de todo, nada está sucediendo.

Podría yo añadir el extraño caso de una historia corta que escribí cuando tenía veintitantos años, un relato imaginativo ubicado en el futuro. La encontré entre mis papeles años más tarde y descubrí, para mi sorpresa, que los sucesos que yo había descrito sustancialmente se habían hecho realidad. Es probable que no le hubiera prestado mucha atención a esto excepto por el hecho de que algunos de los escritores con quienes he trabajado a lo largo de los años de vez en cuando han mencionado haber tenido este mismo tipo de experiencias.

En estas páginas iré más allá de estos relatos de anécdotas sobre buena suerte y coincidencias, sugiriendo que cuando vemos esos sucesos por sí mismos es difícil entenderlos, pero que a menudo podemos descubrir un patrón subyacente. Y necesitamos prestar atención al patrón de impulsos pequeños y grandes que recibimos de la casualidad, de la suerte y del destino. Si tomamos conciencia de lo que nos está pasando, veremos dones en todas partes y entenderemos que la sincronía nos está llamando. Y cuando lo veamos, tal vez tengamos que responder a su llamado.

Lo que vamos a descubrir podría sorprendernos, así que lo describiré en este momento. Veremos que para entrar al flujo de la sincronía necesitamos hacer tres cosas:

- Confiar en que existe una energía en el universo que tiene un plan para usarnos con el propósito de beneficiar a nuestro mundo. Esa confianza tiene que ser profunda.
- Estar preparados para darnos cuenta del momento en que esta energía nos presta ayuda, y estar alerta a las muchas formas en que puede actuar. Si no estamos conscientes de sus métodos podríamos dejar de notar la forma en que llega a nuestra vida. Si ignoramos esto no podremos trabajar con lo que llegue como una oportunidad. Muchas personas están esperando su "gran momento". Es una pérdida de tiempo. El gran momento solo llega porque antes hay muchos momentos pequeños… momentos para los que la persona trabaja con mucha energía y confianza.
- Esperar que esta energía de sincronía nos use en formas que no parecen ser lógicas. El Universo tiene un plan y debemos aprender a seguirlo y hacer lo que nos corresponde. Por tanto, debemos desprendernos de las expectativas y recompensas del ego. *Habrá* recompensas, pero es probable que no sean lo que nosotros imaginamos… serán mejores. Así que no te concentres en ser astronauta y trates de lograr esa *meta* con tenacidad. Por el contrario, concéntrate en la *intención,* luego escucha, presta atención, y si eso en realidad concuerda con lo que el mundo está poniendo en tus manos. Si eres daltónico, la NASA no te aceptará, sin importar cuánto lo desees. Pero habrá otras posibilidades que son perfectas para ti… *si* prestas atención.

Deepak Chopra describió esto con elocuencia en una entrevista con Jean Houston. Él explica que en el Vedanta la sincronía es la condición del *Ritambharapragya,* y tiene tres elementos:

> *Ritam* significa ritmo, orden del universo;
> *Bhara* significa "lleno de";
> *Pragya* significa "mente".
> Por tanto la palabra significa: persona cuya mente está saturada con el ritmo del cosmos. Así que cuando los elementos y las fuerzas que hay en ti y los elementos y las fuerzas del cosmos están en una alineación perfecta, entonces en esa expresión, en ese campo de una conciencia casi sin elección, una intención pequeña y sutil logra su propia plenitud.[2]

Entrar en este ámbito, en el espacio de la sincronía, no es tan sencillo como desear algo y tener la esperanza de que aparezca. Requiere que estemos alineados con las energías del cosmos. Vamos a analizar la manera en que podremos hacerlo.

Obstáculos que se interponen en nuestro camino

Sí, habrá cosas que impiden que aceptemos la sincronía en nuestra vida, y tendremos que analizarlas con cuidado en la segunda parte de este libro. Esto es importante porque si sabemos qué trampas puede ponernos nuestra mente, podremos evitarlas con más facilidad. Además, esto tiene una tendencia más positiva que simplemente evadirlas. Cuando vemos los errores que todos y cada uno cometemos, tenemos la oportunidad de incrementar nuestra compasión. Nuestros errores no son diferentes a los de otras personas, el hecho de ver nuestro propio enojo, por ejemplo, puede llevarnos a volver a reflexionar para saber si el enojo es de hecho necesario. Normalmente, no lo es.

Pensar en esta forma inevitablemente hará que seamos compasivos ante el enojo de otros. De manera similar, al percibir nuestra propia codicia y nuestros propios anhelos, estaremos más abiertos y seremos más generosos con aquellos que son presa de la codicia y los anhelos. El ser testigos de nuestro desagrado por otros puede hacernos regresar al amor y llevarnos a amar a quienes están atrapados en el lugar del odio. Los perdonamos y al mismo tiempo nos perdonamos a nosotros mismos. Entonces podremos desprendernos de esos sentimientos negativos. Liberarnos de estas exigencias del ego es lo que necesitamos hacer para poder darle una bienvenida total a la sincronía en nuestra vida.

La sombra

Si alguna vez has encontrado que te sientes enojado, triste o perdido de manera inesperada, es casi seguro que se trate de un incremento de emoción que brota del Inconsciente, de la parte sombría de ti mismo, la parte de ti mismo que tal vez preferirías no reconocer. Para llegar realmente a tener suficiente libertad como para seguir el camino por el que nos lleva la sincronía, tendremos que descender al yo y encontrarnos con lo que Carl Jung llamó el aspecto sombrío del yo.

Si no damos los pasos necesarios para encontrarnos con este aspecto sombrío, no podremos utilizar su energía, sino que lucharemos contra ella y quedaremos agotados. Piensa en ello en esta forma. Si tienes un sueño aterrador puedes fingir que no lo tuviste, pero si vuelve una y otra vez, no podrás seguir fingiendo. Si aún así tratas de ignorarlo, podrías descubrir que temes quedarte dormido y eso a la larga arruinará tu salud y tu felicidad. Poco después, ni siquiera las pastillas para dormir y el alcohol te ayudarán. Tendrás que enfrentar ese sueño y el material inconsciente que contiene, tendrás que reconocer que existe y tendrás que procesarlo; de lo contrario no se podrá restablecer la paz. Solo entonces podrás llegar a ser quien realmente eres. Es la Sombra que se está comunicando contigo. Te revela su presencia a través de los sueños y también hace sentir su presencia cuando caes en una actitud mental destructiva, crítica o autodestructiva.

Por supuesto, podemos llevar a cabo este trabajo antes de que esto se vuelva problemático, y en estas páginas voy a darte la orientación necesaria para lograrlo. Y si esto te parece aterrador, no te preocupes. Todos tendremos que conocer a la Sombra en algún momento de nuestra vida, y descubriremos que está lista para hacerse nuestra amiga, para darnos sus dones y ayudarnos a progresar. Pero de cualquier modo tendremos que encontrarnos con ella.

2
La mano que guía

La sincronía, el destino y tu futuro

Paradójicamente, para comenzar necesitaremos dar varios pasos atrás y empezar con algunos ejemplos específicos de las actitudes hacia la sincronía que predominan en la sociedad, ya que podrían ser muy poderosas al forjar las nuestras.

Esta es una: "Cuando llega el momento crítico, llega el hombre que puede resolverlo". Se basa en un refrán antiguo que inspira confianza porque sugiere que el líder adecuado y el pensador que inspira a otros surgirán en forma espontánea precisamente en el momento adecuado, sin ningún esfuerzo de nuestra parte. Maravilloso. Pero pensar en esta forma podría meternos en muchas dificultades.

Una mejor manera de formular esta idea podría ser reconocer que las personas adecuadas llegarán en el preciso momento en que se les necesita, pero solo si ya estamos activos y nos aseguramos de tener un grupo adecuado de candidatos, alerta a lo que podría suceder. Eso significa que tendremos que cooperar con el destino y no solo aceptarlo en forma pasiva.

En la antigua frase hindú "Cuando el estudiante está listo, aparece el maestro" podemos encontrar una manera más útil de pensar en esto. Tiene un enfoque ligeramente diferente, un enfoque que exige nuestra participación en el proceso de crecimiento personal.

No solo se trata de elección personal. Es obvio que necesitamos personas buenas que estén alerta y que nos guíen a través de los cambios que nos esperan en el futuro; sería ingenuo fingir que en un planeta en el que hay crisis de energía, problemas de contaminación, sobrepoblación y proliferación nuclear, no tendremos que enfrentar grandes retos. La pregunta más bien sería: ¿cómo podremos trabajar con el futuro que se está desenvolviendo para poder estar seguros de que nos ofrecerá el mejor resultado posible? ¿Cómo podremos encontrar nuestro propio lugar para ser capaces de estar en armonía con nuestro propio propósito y destino?

Lo que veremos es que cuando salimos del espacio insular del ego que es el espacio de "mi país", "mi cultura", "mi rincón del mundo" y "mi patio trasero", podremos entrar al espacio del corazón que nos dice que estamos conectados y que solo puede haber soluciones basadas en la conciencia de estos hechos. Una vez que estemos en el espacio del corazón, es posible tener una nueva relación con el futuro; una relación que podemos cocrear. Cuando nos damos la oportunidad de entrar a este lugar, pueden ocurrir cambios enormes, cambios milagrosos. Por supuesto, es posible que no podamos detener las mareas o la forma en que el mundo gira en su eje, pero podemos cambiar la forma en que vivimos en el mundo. Y en ese momento el destino, el hado o algo cuyo nombre no sabemos, tiene el escalofriante hábito de darnos una mano.

Lo sabemos por experiencia propia. Cuando optamos por "seguir nuestra dicha" (usando la famosa frase del mitólogo Joseph Campbell), tal vez lo que hacemos no siempre sea fácil, y tal vez en ocasiones incluso parezca imposible, pero sabemos que la mano del destino a menudo llegará hasta nosotros y nos prestará ayuda en momentos especialmente difíciles.

Carl Jung, que fue un pionero en el uso de la palabra sincronía como la estamos considerando aquí, sintió que eso era exacto lo que sucedía, aunque algunos de sus seguidores prefieren decir que la sincronía solo es una actitud mental. Para ellos, es la clase de situación en que empezamos a notar ciertos sucesos específicos porque de pronto estamos sensibles a ellos.

Por ejemplo, si hemos estado hablando de perros, de pronto empezamos a estar conscientes de todos los perros que al parecer se hacen presentes en nuestra vida diaria. El punto de vista es que esos perros siempre habían estado presentes, pero ahora empezamos a notarlos. El efecto, para algunas personas, es pensar que los perros aparecieron por arte de magia. Hay lógica en este tipo de análisis; y sin embargo la mayoría de las personas también están muy conscientes de que esto no es la totalidad de la ecuación; algo más grande parece estar en juego.

El filósofo Arthur Schopenhauer también se sintió desconcertado con esto y su ensayo "Especulación trascendente sobre la aparente intencionalidad en el destino del individuo" lo refleja en su título.[1] Él pregunta por qué al recordar nuestra vida desde la perspectiva de la edad avanzada a menudo parece haber un patrón que en el momento de vivirlo no pudimos discernirlo. Ve esto y sugiere que nosotros creamos este patrón usando nuestra voluntad inconsciente. Sin embargo, percibimos que hay en juego una cuestión mucho más grande cuya presencia no es posible comprobar. ¿Por qué no pudimos ver este patrón antes? ¿Y cómo habría cambiado las cosas si hubiéramos podido verlo? ¿Y cómo funciona esta voluntad inconsciente?

La mayoría de las personas no hablan mucho de este nivel más profundo, no hablan de las coincidencias milagrosas ni de las oportunidades que de pronto se han abierto ante ellas. Quizás es una sensación de vergüenza porque en apariencia se estarían jactando de su buena suerte y eso impide que lo griten a los cuatro vientos. No obstante, tengo que decir que esta idea está viva en nuestra cultura popular a tal grado que es sorprendente, y está presente en algunos lugares inesperados. Es algo que estamos renuentes a reconocer pero que todos conocemos.

Solo tenemos que pensar en tantas películas de Hollywood que tanto se disfrutaron y se amaron tan profundamente, las cuales se basan en la idea de que cuando hacemos lo que en realidad amamos, algo que sentimos auténtico, se presentan milagros o inspiraciones que vienen en nuestra ayuda. Piensa en *The Natural [El mejor], Field of Dreams [Campo de sueños], Forrest Gump, Slum Dog Millionaire [Quién quiere ser millonario],* o en cualquiera de tus películas favoritas. Luego piensa en las coincidencias, los giros del destino, las circunstancias extrañas que llevan a los personajes a donde necesitan estar para que el relato se resuelva. Podríamos restarle importancia a esto y decir que solo se trata de una manipulación de la trama por parte de los escritores para darnos lo que queremos. Y eso sería verdad. Hollywood sabe cómo ganar dinero con nosotros. O también se podría decir que nosotros, el público, millones y millones de nosotros, estamos dispuestos a aceptar estas historias porque sentimos que están *bien*. Corresponden a una realidad interna que ya conocemos... aunque tal vez hayamos decidido no creerlo con mucha intensidad después de ver la película. Esa realidad interna se relaciona con la forma en que el destino y el hado cooperan con nosotros cuando estamos en el auténtico camino del corazón.

Tal vez esa sea la razón de que la literatura más grandiosa de los últimos tres milenios haya abordado este tema con tanta frecuencia. Quizás esa es la razón por la cual en nuestro corazón sentimos que es verdad, aunque parezca oponerse a la intuición.

Las leyendas populares de todos los tiempos y eras lo reflejan aunque, no sean "literatura" *como tal*, sino leyendas populares. El relato probablemente arquetípico de Robert the Bruce, el rey de Escocia que luchó contra los ingleses, es un ejemplo de esto. Ha tenido un encanto perdurable a través de las generaciones.

En el relato, Robert the Bruce había perdido otra batalla y estaba sentado en una cueva tratando de analizar lo que había salido mal. Estando ahí, agotado y deprimido, observa una araña trepando por su telaraña. La aleja con la mano. Después de todo, él es un rey y hasta los reyes prófugos se niegan a soportar a las arañas. Poco después se da cuenta de que la araña regresó a donde estaba antes y sigue trabajando en su telaraña. Vuelve a alejarla con la mano y sigue hundido en sus pensamientos. Poco después levanta la vista de nuevo y ahí está la araña trabajando en su telaraña. Robert se detiene. De pronto capta el mensaje: nunca te des por vencido. Inspirado, regresa al campo de batalla y, como lo testifica la historia, libera a Escocia del dominio británico. Esto no habría sucedido si él no hubiera estado alerta para escuchar lo que el universo le decía. Tal vez esta lección tiene dos aspectos: nunca te des por vencido y escucha los mensajes que el universo te está mandando.[2]

Robert the Bruce murió en el año 1329. El hecho interesante es que este relato se refleja en otra historia de regiones muy lejanas del mundo. Relata que el gran gobernante, Tamerlán de Persia observaba a una hormiga que subía por un tallo de hierba. En esencia es el mismo relato. Tamerlán nació en el año 1336, así que el periodo también es muy similar.[3]

Existe un relato aún más antiguo que se basa en el mismo tema. El Rey Alfredo de Inglaterra que murió en el año 899, vivió esta misma situación. De manera similar, parece que él no puede ganar sus batallas contra los invasores daneses. Sale huyendo, se siente abatido y se queda sentado en una choza. Le dijeron que cuidara que las burdas tartas de avena que estaban sobre la parrilla no se quemaran. Estoy seguro de que a partir de este momento podemos ver el parecido con los otros dos relatos. Bueno, Alfredo se concentra tanto en sus pensamientos que, por supuesto, las tartas se queman, y nadie puede comer nada esa noche. La campesina que le dio albergue regresa y la grita por haber permitido que la comida se arruinara. En ese momento, Alfredo se da cuenta de que tiene el deber de asegurarse de que su pueblo pueda alimentarse y vivir en paz. Recapacita y lleno de inspiración renueva su lucha. Al paso del tiempo logra poner a los invasores daneses bajo control. En Inglaterra todavía se conoce al Rey Alfredo como "Alfredo el Grande", aunque no fue el rey más poderoso de su época. Inspira tanto respeto que es uno de los pocos reyes de ese turbio periodo que casi todos los ingleses pueden identificar.[4]

En realidad no importa si los relatos se basan o no en hechos y son verdaderos; lo que importa es que han expresado algo que parece verdadero desde el punto de vista psicológico y espiritual. Simplemente, significan que para quienes están en un camino de liberación (ya sea que quieran liberarse de la opresión para poder llegar a ser quienes necesitan ser, o que quieran liberarse de otras ataduras), hasta los momentos más profundos de derrota pueden proporcionar inspiración. Lo único que tenemos que hacer es permanecer abiertos a esa inspiración. Y sobre todo, no debemos dejarnos llevar por la desesperación, la autocompasión, o volvernos pasivos. Se *espera* que participemos en la creación del futuro.

En su núcleo central, los tres relatos tienen ecos distantes de la historia de Jesús. El momento de la derrota, la crucifixión, resultó ser el momento de su mayor victoria. Las cruces y crucifijos de las iglesias en todas partes del mundo son símbolos de transformación. Nos dicen que cuando nos enfrentamos a la derrota en realidad podríamos estarnos acercando al momento crucial que lleva a la victoria. Descendemos a la parte más oscura de nuestro ser para así poder recuperar la energía que se encuentra ahí.

La estructura mítica es en esencia la misma en estos relatos. Detrás de ella, la lección primordial es, como ya lo hemos señalado: confía totalmente en que tienes un propósito, está alerta a lo que llega y trabaja con ello.

En cada uno de estos relatos, el estudiante estaba listo, y el maestro de hecho se presentó; aunque solo haya sido una araña, una hormiga o una campesina que grita porque se quemó su comida.

3

La cabeza contra el corazón

Flujo y fuerza:
Recupera tu libertad

En nuestro cuerpo existen al menos dos tipos de energía en todo momento. La primera es la energía del cerebro, de lo que solemos llamar la mente. Puede hacer cualquier tipo de cálculos complejos; hasta puede llenar los formatos del gobierno. Por lo tanto, es una energía muy superior y nadie niega que exista. La segunda es la energía del corazón. El corazón no es solo una bomba que hace que la sangre circule; el corazón es un órgano poderoso con un campo electromagnético que, en base a mediciones realizadas, es más poderoso que el que produce el cerebro.[1] Todos sabemos que existen algunas cosas que, como se dice comúnmente, vienen del cerebro, y existen otras que sentimos que vienen del corazón. En ocasiones estas cosas chocan.

Esta división entre la cabeza y el corazón es uno de los problemas más importantes que enfrentamos como seres humanos. La cabeza ha llegado a dominar nuestra cultura y vemos que las personas viven de prisa aprovechándose unas de otras con el fin de amasar fortunas y conseguir cosas que brindan solaz al ego. En el proceso, a menudo ignoran al corazón; han ganado el mundo entero, pero han perdido su alma.

Si queremos llegar a la plenitud como seres humanos, tal vez tengamos que invertir esta postura aceptada como ortodoxa que pone a la mente al control de todo, ya que es obvio que no opera a favor de nuestra felicidad a largo plazo. Tal vez tengamos que dar prioridad a los impulsos del corazón y asignar a los impulsos de la cabeza una modalidad auxiliar, de modo que nos ayude a encontrar nuestra verdadera identidad en relación con el corazón. Ya que cuando estemos en el espacio del corazón podremos encontrar el camino para estar en armonía con una energía poderosa que existe en el Universo. A esto le daré el nombre de estar "en el flujo", pero también sería fácil darle otro nombre. Estar en el flujo requiere que trabajemos en armonía con el destino; es un aspecto de la sincronía. Cuando estamos en el flujo, cuando permitimos que el Universo nos use para sus propósitos en lugar de buscar nuestro engrandecimiento, entonces llegaremos a estar en armonía con el destino.

Flujo y fuerza

Existe otro término que marca un contraste con la idea del flujo, lo llamaré "fuerza". Cuando forzamos las cosas en la vida, insistimos en que nuestra forma de hacer las cosas es la única forma de hacerlas, y no permitimos ningún espacio para que las cosas sean de otra manera. No permitimos el espacio para un accidente afortunado o para un descubrimiento venturoso. Nuestra forma de hacer las cosas tiene primacía. Cuando hacemos esto, el ego está a cargo, y a menudo el ego no puede ver lo que se necesita con suficiente claridad, así que la misión se deforma.

Cuando permitimos el flujo, sucede algo completamente distinto. Dejamos espacio para lo accidental. Estamos pendientes para escuchar lo que está pasando. Los artistas de diversas disciplinas hacen esto cuando empiezan un dibujo, un poema o una canción y descubren que algo que acaba de pasar es lo correcto. La mancha en la esquina podría ser precisamente lo que se necesita. El sonido del ladrido del perro fuera de la casa, resulta perfecto para la grabación, o tal vez lleve al artista en una dirección por completo nueva y productiva. Es el "flujo", en el sentido que le estoy dando a este término aquí.

El flujo nos permite dar la bienvenida a lo inusual, nos permite no rechazar algo solo porque no encaja con nuestras nociones preconcebidas. Las nociones preconcebidas hacen que cerremos los ojos a las posibilidades. De hecho, decimos que no deseamos lo que nos proporciona el destino, Dios o el Universo. A veces, cuando he estado trabajando en un proyecto, he tenido que recordar que debo aceptar, no rechazar. Tengo que recordar que debo esforzarme menos y no forzarme a seguir adelante. O tal vez alguien llega a mi vida y digo: "No tengo tiempo para esta persona en este momento". Puedo ignorarla fácilmente con solo cerrar el corazón. O puedo escuchar… y quizá esa persona me inspire y me presente a otra persona que me inspirará aún más. Suceden cosas que nunca podría yo haber predicho. Si aceptamos esto como la Mano de Dios, ¿por qué rechazamos lo que nos ofrece? Después de todo, Dios conoce a muchas más personas que nosotros. Permanecer abierto es parte de estar en el flujo, aunque a veces parezca que no existe una dirección que pueda discernirse. Pero el río sabe hacia dónde va. Así que no luches contra el río. Cultiva una amistad con él. Usa su energía para lo que necesites.

Entrar al flujo no es algo que tengamos que aprender; es algo que requiere que desaprendamos ciertos hábitos mentales persistentes. Estos hábitos incluyen la preocupación, la obsesión por los detalles y el cuestionarnos. Todos estos hábitos nos obstaculizan y provienen del ego. Son cosas que hacemos todos los días cuando tratamos de controlar los resultados de lo que hacemos. Quizá en esos momentos deberíamos recordar el consejo que Krishna dio a Arjuna en el texto sagrado del *Bhagavad Gita*: "Actúa sin egoísmo; sin pensar en la ganancia personal".[2]

Piensa en una atleta que está en un evento deportivo. Lo ideal es que esta atleta se concentre en sentirse bien, no en su aspecto físico o en quién está en la tribuna; ni en lo que les va a decir a sus compañeros del trabajo al día siguiente. Y cuando corre en la competencia, o compite esquiando, o lo que esté a punto de hacer, si lo hace bien estará en un espacio que tiene muy poco que ver con las preocupaciones diarias. Cuando esas preocupaciones se entrometen, ella pierde la sensación de estar plenamente en la actividad, y lo más seguro es que no le vaya bien. Así funciona el flujo. El hecho de que esa atleta gane la medalla de oro o solo haga un buen papel, es menos importante que el hecho de que, mientras esté participando en la competencia, se integre a ella. Entonces estará dando lo mejor de sí.

Sabemos que esto es cierto. Tal vez algunos de nosotros hemos tenido la fortuna de experimentarlo, y es una sensación que no se parece a la mayoría de las sensaciones que tenemos en el mundo del trabajo diario. ¿Cómo serían nuestras vidas si solo nos quedáramos en ese espacio?

Desafortunadamente, para nosotros, vivimos en un mundo que solo valora la experiencia de este flujo cuando se le ve en ciertas circunstancias, como en los deportes. El resto del tiempo se espera que paguemos la renta, nos aseguremos de pagar nuestras cuentas a tiempo y demás. Por lo tanto existe un equilibrio que debemos encontrar ente los aspectos prácticos del mundo cotidiano y nuestra capacidad para movernos hacia el flujo. Si cometemos un error, si damos un giro excesivo en una dirección y no en la dirección opuesta, entonces se nos considera excéntricos o incluso fracasados peligrosos. Es posible que la persona que elige estar en el flujo de pintar lienzos enormes todo el día mientras sus hijos corren descalzos en la lluvia, reciba una visita del departamento de servicios sociales. Joseph Campbell lo expresó muy bien en una entrevista cuando dijo que era el filo de una espada y no usarlo correctamente era muy peligroso. Dijo: "Por eso crucificaron a Jesús".[3] Jesús eligió vivir en el mundo de la verdad espiritual, y eso molestó a quienes tenían el poder político en ese tiempo.

Cuando alguien le preguntó al Arzobispo sudafricano, Desmond Tutu, cómo se las arreglaba para permanecer en el mundo del espíritu y al mismo tiempo estar presente en el ámbito de las negociaciones políticas a nivel internacional, dijo que era casi imposible para él no estar en el ámbito del espíritu. Es obvio que él es un hombre que ha ayudado a lograr grandes cambios, y en el proceso también se ha generado gran antipatía entre algunos políticos poderosos.[4]

No te engañes, existen fuerzas destructivas que en realidad no quieren que vivamos en el flujo. Estas fuerzas brotan del punto de vista que el ego tiene de nosotros mismos y de otros. Solo permitirán que estemos en el flujo bajo ciertas circunstancias, y el resto del tiempo prefieren que hagamos algo más relacionado con tener los pies en la tierra. Esas fuerzas poderosas se manifiestan como gobiernos represivos y sus agencias en ciertas partes del mundo. Pero también debemos estar conscientes de que estas fuerzas podrían incluir a nuestros amigos, a nuestros padres e incluso a nuestros hijos, y también a las cosas que te dices sobre la persona que eres. También tu propia historia podría trabajar en tu contra porque tal vez no creas que puedas permanecer con el flujo.

Por tanto, tratemos de no tener teorías engañosas que nos llevan a asignar culpas erróneamente. *Esto es algo que nos hacemos a nosotros mismos.* Estamos rodeados de los seres que amamos y que nos aman, y quizás nos dicen que no seamos pianistas sino que tengamos un puesto estable en una fábrica de teclados electrónicos. Es muy difícil resistirse. Todas las razones que nos dan para que no sigamos nuestra actividad preferida son buenas. Son perfectamente lógicas. Por eso la mayoría de nosotros limitamos las áreas en las que fluimos en realidad a pasatiempos o "actividades recreativas".

En este libro vamos a mirar muy de cerca las formas en que nos convencemos a nosotros mismos de no experimentar el flujo y el poder que brota de ese flujo. Elegí concentrarme en ti, el individuo, porque la tarea siempre es personal. Cada uno de nosotros primero debe liberarse y luego permanecer libre. Si derribamos los muros de una prisión con un *bulldozer*, los reclusos podrían escapar, pero si siguen inmersos en una vida criminal, dentro de poco volverán a estar tras las rejas. Primero necesitamos liberarnos, y eso significa quedar libres de los hábitos mentales que acaban atrapándonos. Este es un paso necesario para vivir con sincronía.

Cómo recuperar tu libertad

No siempre es fácil recuperar nuestra libertad, y no hay garantía de que será gratificante o provechoso en el aspecto material. Muy a menudo no parece provechoso en absoluto, en términos convencionales. Y sin embargo he dado clases durante más de 20 años y he conocido escritores que anuncian que van a dejar el empleo que tienen durante el día y se van a dedicar a ser poetas, bajistas en bandas de rock, pintores, alpinistas, creadores de instalaciones artísticas, actores, etc. Y lo han hecho aceptando con alegría las dificultades que eso conlleva; el flujo significó mucho para ellos. ¿Por qué? Bueno, cuando están en este espacio, estos artistas (pues en ese momento todos son cierta clase de artistas) dicen que sienten que la energía del universo trabaja a través de ellos. Pueden decirlo en una variedad de formas, pero la razón subyacente siempre es que sienten que algo más grande que ellos les está mostrando qué hacer. ¡No es sorprendente que no puedan regresar al mundo cotidiano sin tener que luchar!

Mis colegas maestros enseñan una gran variedad de materias, pero al hablar con ellos puedo ver que también comparten la intención de hacer que sus estudiantes se acerquen más a este flujo. Estoy pensando en el escultor y en el artista visual cuyas clases de dibujo han ayudado a abrir incontables cientos de ojos y mentes, y han inspirado a muchas personas a tener más creatividad en su vida. Recuerdo a un inspirado maestro de yoga que hace lo mismo pidiendo a las personas que observen cómo se sienten con su cuerpo al practicar yoga. Y pienso en un maestro de dibujo que en realidad es una persona que ayuda a otros a recuperar su ser creativo.

Yo trato de hacer lo mismo en mis clases y talleres porque entiendo la sensación de estar en el flujo y lo que sucede cuando lo perdemos. Cuando tenemos la fortuna de hacer que el flujo surja mágicamente en nuestra vida, tenemos que reconocerlo.

Bromeo con mis amigos y mis estudiantes diciendo que he dejado de escribir, y hago esta clase de bromas con mayor frecuencia que ninguna otra persona que conozco. Me he sentido frustrado, enojado, increíblemente feliz, desilusionado y taciturno. He jurado que nunca volveré a escribir una palabra porque esta tarea requiere tanto tiempo, tanto dolor y tanto esfuerzo. Sin embargo vuelvo a hacerlo porque cuando estoy en el flujo, cuando siento que las palabras llegan, sin importar qué otra cosa esté pasando en mi vida, siento que soy el siervo de algo que necesita reconocerse.

Eric Maisel, el talentoso escritor y terapeuta, lo expresa en una forma que realmente disfruto mucho.[5] Señala que para una persona creativa el hecho de no crear se vuelve tan insoportable que al final cede y empieza a crear de nuevo, a veces quejándose a lo largo del camino de que no es redituable, de que en un trabajo de 9:00 a 5:00 se gana más por hora y así sucesivamente. Casi podrías escuchar el diálogo que ocurre en su cabeza: ¡no es redituable! (mientras la persona lucha sin éxito contra el corazón). *Pero de todos modos me encanta hacerlo…* El hecho es que todos somos personas creativas; aunque algunas no nos hemos enterado.

Andrew Cohen, escritor y místico, lo expresa en esta forma: dice que el universo no tiene brazos, piernas o manos, pero nosotros sí.[6] Por tanto, nuestro trabajo es expresar lo que el universo quiere que se exprese, pues somos las únicas criaturas que pueden hacerlo. Nuestra tarea es servir al universo en esta forma.

Puedes ver esto como una verdad literal o como una elegante metáfora del proceso creativo, eso depende de ti. Y quizás al final no importa mucho qué interpretación le demos. El hecho es que cuando nos damos la oportunidad de estar en este flujo creativo, todos nosotros nos volvemos más humanos, más compasivos, menos egocéntricos y más amorosos. Al mismo tiempo nos volvemos más humildes porque sentimos el poder de lo que está ocurriendo, y nos sentimos inspirados, sabiendo que somos parte de ello. Estamos siguiendo nuestro corazón y sabemos que eso es lo que debemos hacer. Ninguna otra cosa se acerca a esta experiencia. Y cuando lo hacemos, el universo tiene una forma de cooperar con nosotros, enviándonos inspiración, oportunidades y experiencias que enriquecen nuestra vida y que no habríamos podido tener si nos hubiéramos quedado en casa desempeñando un trabajo constante y seguro. Esa es la experiencia de la sincronía.

Pero esto podría hacer que toda la discusión pareciera muy pesada, así que añadiré una anécdota que se cuenta sobre Ramakrishna, un santo de la India que vivió en el siglo XIX. Él les había estado diciendo a quienes venían a hablar con él que siguieran aquello que amaban, y un día una mujer solicitó ir a verlo. Dijo que esto le estaba costando mucho trabajo porque no había nada que ella amara. "¿Nada?" preguntó el maestro. "Nada", respondió ella. "¿Estás segura?", preguntó él. Ella reflexionó un poco, y luego dijo que en realidad sí amaba algo… amaba a su sobrinito. "Bueno", dijo Ramakrishna, "esa es tu respuesta".

Como la mujer de esta anécdota, tal vez ya estemos en el espacio del corazón, pero no nos damos cuenta o no lo valoramos, así que en realidad no estamos ahí y por eso no podemos entrar al flujo de energía que este espacio proporciona. Nuestra tarea es ver cómo podemos tener más flujo en nuestra vida y estar más en contacto con la sincronía, estarlo durante más tiempo, y al mismo tiempo asegurarnos de pagar la renta y de que nuestros hijos no anden descalzos.

4
Ejemplos prácticos de flujo y sincronía tomados de la vida real

Quiero mostrarte a qué me refiero cuando hablo de sucesos en sincronía dándote algunos ejemplos. Estoy seguro de que encontrarás que algunos de ellos te hacen vibrar, pues todos hemos tenido días en que las cosas ocurrieron como queríamos, en forma milagrosa o extraña. Patti Smith, poetisa y cantante, describe hermosamente esta clase de sucesos cuando habla de la forma en que su banda se reunió en la Ciudad de Nueva York e hizo una presentación en una sala de billar destartalada:

> Mientras la banda tocaba, se podía escuchar el golpe de la bola blanca de billar golpeando las otras bolas; el saluki (una raza de perro) ladraba, las botellas tintineaban, y surgían los sonidos de la escena. Aunque nadie lo sabía, las estrellas se estaban alineando, los ángeles estaban llamando.[1]

En ocasiones, solo después nos damos cuenta de que algo trascendente se puso en movimiento. Esta es una anécdota personal que podría ayudar:

Cuando llegué a vivir a Estados Unidos en 1986, no tenía trabajo y durante un tiempo pinté paredes, cuidé niños, y acepté cualquier trabajo que pudiera encontrar aquí y allá. Aunque me divertí, el hecho es que no estaba usando mi doctorado de Oxford ni mis destrezas como consejero y asesor. Yo sabía que solo estaba tratando de arreglármelas y que no estaba totalmente comprometido con lo que estaba haciendo. Estaba yo a punto de aceptar un trabajo en un centro de rehabilitación para adolescentes, en el que los horarios eran muy pesados, la paga era mala y que, como lo sabía por experiencia propia, podía ser un trabajo desgarrador. Entonces vi un anuncio de un trabajo en el campo de la enseñanza en un instituto de educación superior de la localidad. Yo sabía que era competente como maestro. Les escribí pidiendo una entrevista.

El día de la entrevista cepillé mi único traje, me arreglé y tomé mi mapa. No tenía auto, pero sabía dónde estaba el instituto, aunque no sabía los detalles de cómo llegar ahí. De cualquier modo, supuse que no sería demasiado difícil encontrarlo si cientos de estudiantes iban allá todos los días. Así que tomé el metro hasta la terminal y supuse que encontraría un taxi o un autobús y que sería fácil llegar. Yo venía de Inglaterra, donde hay taxis y autobuses casi en todas partes, así que no tenía temores. De cualquier manera, salí con mucho tiempo de anticipación porque no me gusta llegar tarde. Salí del metro y vi que estaba en una zona muy sórdida de la ciudad. Había mucha gente, todos de raza negra, y muchos de ellos no entendían inglés. O tal vez no entendían la forma en que yo hablaba inglés.

No había taxis a la vista; me dijeron que el autobús pasaba justo dos veces al día, por si quería esperar hasta las 6:00 p. m. Así que encontré un teléfono y llamé a la oficina. Nadie quiso venir a recogerme. No podía creerlo. Lo volví a intentar. No había recorridos que pasaran por esta zona. Miré alrededor. El lugar no parecía peligroso. De hecho, me parecía bastante agradable, había muchas tiendas con artículos étnicos y escaparates llenos de objetos coloridos que me gustaría haber tenido tiempo para ver; pero al parecer las empresas de taxis no estaban de acuerdo conmigo.

Así que le pregunté a un transeúnte amistoso cómo llegar a la oficina y decidí caminar. El tiempo pasaba con rapidez. Para no arriesgarme, decidí empezar a caminar y al mismo tiempo levantar el dedo para pedir "aventón". Pensaba que incluso en una zona urbana sería posible conseguir que alguien te llevara, pues siendo niño había recorrido Europa pidiendo aventón.

Era un día bonito, yo seguía caminando, vestía mi mejor traje, llevaba un portafolio, un paraguas, y levantaba la mano pidiendo aventón; de pronto un auto se detuvo junto a mí. Fue bastante dramático. Lo conducía una mujer muy hermosa, el coche estaba lleno de bolsas color café llenas de víveres, y había un bebé. "Suba", dijo ella. Para entonces, otros autos ya estaban tocando la bocina porque ella estaba bloqueando el tráfico. Así que subí al auto y tomé al bebé en mis brazos.

"Se veía usted algo desesperado", me dijo. Le expliqué que estaba tratando de llegar a una entrevista de trabajo en el instituto, y entonces me miró y me dijo: "Bueno, iba usted exactamente en la dirección opuesta". Entonces, justo cuando iba yo a decirle que me bajaría del coche, ella dijo: "Qué más da. Lo llevaré". Dio una vuelta en U y por un momento quedé rodeado de bolsas de víveres.

"¿A qué hora tiene que llegar?" dijo gritando para que pudiera yo escucharla a pesar del ruido del tubo de escape, y cuando le dije que tenía que llegar en aproximadamente diez minutos, murmuró algo y pisó el acelerador. Su coche, que era grande y no muy nuevo, no voló con exactitud, pero recuerdo una luz roja que acababa de encenderse y que ella ignoró. Yo arrullaba al bebé y le mostraba mi agradecimiento a esta dama de cabello castaño rojizo por su amabilidad. Sentí que si alguien tenía que rescatarme, una mujer hermosa en un auto viejo era una variación maravillosa del tema.

Llegamos a las puertas del instituto. Le entregué al bebé y no dejaba de darle las gracias, pero ella me interrumpió: "Va a llegar tarde", dijo. "Será mejor que corra".

Corrí hacia el módulo de seguridad de la puerta principal y pregunté por la oficina donde se suponía que sería la entrevista. El guardia no fue de mucha ayuda; preguntó quién era yo, por qué tenía que estar ahí, y dijo que no tenía un mapa del campus.

Mientras hablábamos, llegó un enorme Lincoln Continental color verde. Supe que era un Lincoln porque en ese entonces ese era uno de los pocos autos estadunidenses que podía reconocer, y sobre todo por su tamaño. El conductor resultó ser el director de uno de los departamentos del instituto, y amablemente me llevó a una distancia de media milla, justo hasta la puerta del edificio al que yo tenía que llegar. Como no tenía un letrero que lo identificara, habría sido muy difícil para mí dar con él sin ayuda, en especial porque había vacaciones en el campus y no había nadie a quien pudiera yo haberle preguntado.

Subí corriendo las escaleras, saltando por los escalones de tres en tres, hasta llegar a la oficina donde sería la entrevista. Llegué justo un minuto y 30 segundos tarde. Eso habría sido suficiente para causar una mala impresión. Por fortuna, el candidato anterior todavía estaba en la oficina, así que tuve uno o dos segundos para recuperar el aliento.

¿Puedes ver lo insólito que podría ser este relato?

Cuando me llamaron para la entrevista, ya sentía que había tenido un día muy extraño y no estaba nervioso. Solo era yo mismo. Entonces uno de los entrevistadores me hizo una pregunta cuyo propósito era poner a prueba mi capacidad como maestro. Dijo: "¿Qué haría usted si llegara al salón de clase un día y la mitad de los alumnos no estuviera presente, y la otra mitad quisiera no estar ahí?". La forma en que presentó la pregunta daba a entender que él dudaba que yo supiera qué hacer en esas circunstancias. Pude verlo en sus ojos; y tal vez deseaba hacer que yo pareciera deficiente en cierta forma. Mi respuesta brotó espontáneamente, antes de darme cuenta: "Bueno", dije, "no se puede hacer mucho con respecto a la gente que no está presente...". Todo el panel de entrevistadores soltó una carcajada. Pasamos la siguiente hora en una conversación muy interesante sobre una gran variedad de temas, y conseguí el trabajo.

Al recordar esos sucesos ahora, parece casi imposible que resultaran como lo hicieron. Si hubiera tomado un taxi, probablemente habría llegado tenso, sintiéndome a la defensiva y decidido a "dar lo mejor de mí". En lugar de eso, llegué un poco desaliñado y en un espacio mental diferente que me permitió ser simplemente yo mismo.

He tenido este puesto durante 25 años. No siempre ha sido perfecto y he cometido muchos errores a lo largo de los años, pero en su mayoría tienen que ver conmigo, no con el puesto en sí. Fueron ocasiones en que intenté forzar las cosas. Y ahora, al recordarlo todo, puedo decir con certeza que el trabajo fue justo lo que yo necesitaba, tomando en cuenta lo que yo era en ese momento. Me ofreció una oportunidad, energía y me puso en un camino que me ha llevado a escribir estas palabras. Ciertamente en ocasiones he tenido mis dudas y tristezas, ¿quién no las tiene? Pero sin duda esto fue lo correcto para mí en ese momento.

No era lo que yo quería; en mi vanidad quería algo más ilustre. Pero debo decir que fue justo lo que yo necesitaba para mi crecimiento personal. Existe una gran diferencia entre "querer" y "necesitar". Las circunstancias me pusieron exactamente donde necesitaba estar.

¿Qué significa esto? ¿Significa que tuve un ángel guardián que me guio ese día? Tal vez. ¿Significa que fui muy afortunado? Sí, estoy de acuerdo con eso. ¿Se podría decir que lo que me guio fue la mano del destino? Definitivamente, eso se podría decir.

Carl Jung lo habría expresado en otra forma. Él sugiere que cuando estamos en un camino que se relaciona con lo más auténtico que hay en nuestro interior, tenemos acceso a las energías del Inconsciente Colectivo, la sabiduría profunda que existe en la raza humana y que nos guía... si nosotros lo permitimos. Si dejamos de ser puramente racionales y decidimos seguir las intuiciones y las inspiraciones, esos poderes se manifiestan para guiarnos.

En su diario personal, el *Libro rojo,* atribuye el poder de predecir el futuro a este nivel de conciencia. Se negó a publicar el *Libro rojo,* (apareció en 2009, 40 años después de su muerte) porque temía lo que sus colegas pudieran decir sobre sus ideas místicas. Menciono esto solo porque cuando empecemos a hablar sobre esta clase de temas, será inevitable que surja resistencia por parte de personas que no creen que pudiera haber otra cosa que no fuera una coincidencia. Jung, por el contrario, sentía que lo que llamamos coincidencias eran evidentemente sincronías: momentos en que la energía del Universo trabaja para mostrarnos el camino que se abre ante nosotros.

No tengo la intención de meterme aquí en un argumento sobre la posibilidad de que estos sucesos ocurran por la mano de Dios, por el Universo o por casualidad. El hecho es que ocurren. Estoy seguro de que al leer esto estás diciendo: "sí, yo he vivido algunos momentos como esos". No les restes importancia. Considéralos momentos en los que, por alguna razón, estabas en el flujo de la vida. Hasta podrías preguntarles a tus amistades si alguna vez han tenido momentos como estos, y lo que escuches te podría sorprender.

Añadiré aquí otro ejemplo personal. Cuando conocí a la mujer que llegaría a ser mi segunda esposa, estaba en una fiesta que organizaron algunos amigos. Estaba a punto de irme porque había tenido un día muy difícil. Cuando entró Cat, supe que tenía que presentarme… no tenía idea de por qué. Pude ver que era muy atractiva, pero estaba consciente de que había algo más en ella. Recuerdo que pensé que, entre tanta gente que había en la sala, quería conocerla a ella.

Empezamos a hablar. Tal vez porque yo ya estaba cansado y pude relajarme lo suficiente como para ser yo mismo (¿has notado que ese también fue un componente de mi relato anterior?). Cuando ella dijo que estaba divorciada y tenía dos hijos, me sorprendí. Se veía muy joven. Yo ya me había divorciado y no tenía hijos. Así que cuando Cat mencionó a sus hijos mi respuesta inmediata fue: "Ah, me gustaría conocerlos". Como acababa yo de conocerla, podría parecer que al decirlo me estaba tomando una libertad excesiva. Ella pudo pensar que yo era un pederasta, que simplemente era entrometido o algo peor. Pero el hecho es que, en cuanto lo dije supe que ese era justo el comentario más apropiado que podía yo hacer.

Hasta la fecha, no tengo una idea clara de por qué lo dije. Pude haber dicho algo neutral como: "Háblame más de tus hijos" o incluso algo menos definido. Pero no lo hice. Esas palabras llegaron a mis labios porque sabía que realmente quería conocer a esos niños, pero ante todo porque sabía que quería ser parte de la vida de esta familia. Eso fue hace 20 años, y no podía haber imaginado una mejor pareja para mi vida, o que yo sería una buena pareja para ella.

Si le pides a Cat que te cuente su versión de la historia, ella estaría de acuerdo con todo esto, y añadiría que ella me había visualizado aproximadamente dos semanas antes de que nos conociéramos. Ella había decidido que lo que necesitaba era alguien como yo. Y de pronto ahí estaba yo.

No menciono estas cosas con tanto detalle porque quiera jactarme de mi vida. Lo menciono solo porque las experiencias personales de este tipo son poderosas, y cuando empezamos a hacer preguntas a la gente, descubrimos que hay muchos otros ejemplos de ellas en la vida de otras personas. Supongo que tal vez en este momento, tú estás pensando en sucesos de tu vida que parecieron inevitables o incluso obra del destino.

El cantante de ópera, Bill Flavin, un amigo mío ya fallecido, recordaba que en la primera cita que tuvo con su amada Corinne fueron a tomar el té, y cuando caminaban por la Calle Boylston en Boston, ella empezó a tararear una melodía. Bill la escuchó. Después de todo, ambos se dedicaban a la música. Corinne tocaba el chelo en la Orquesta Sinfónica de Boston. Él miró a Corinne y la preguntó si sabía lo que estaba tarareando. Ella respondió que no, que era simplemente algo que había llegado a ella. Era la "Marcha Nupcial" de Mendelssohn.

Bill me dijo que de inmediato le propuso matrimonio. Corinne se sorprendió, pero estuvo de acuerdo en pensarlo, y su armonioso matrimonio duró hasta que ella murió aproximadamente 48 años después. ¿Qué fue ese momento revelador? ¿De dónde vino? ¿Y fue solo buena suerte lo que hizo que ellos lograran que su matrimonio funcionara, o fue una auténtica conexión que incluso en su primera cita les estaba pidiendo que prestaran atención?

Independiente del nombre que quieras darle, quisiera que lo consideráramos un "flujo", como lo que ocurre cuando nos salimos de la cabeza y empezamos a escuchar con todo nuestro ser. Cuando estamos en ese espacio, sabemos que estamos haciendo lo que nos conviene, sin importar lo que otros pudieran decir y sin importar lo extraño que parezca ser. Esto no es lo mismo que ser impulsivo. Esto viene de un lugar más profundo, más vital.

Y hay algo más que debemos ver con claridad. Estar en el flujo no tiene nada que ver con ser pasivos. Tenemos que salir y hacer lo que nos corresponde; de lo contrario no pasará nada. Esperar que el universo lo haga todo por ti es tan razonable como esperar que ponga comida en tu boca y que también la mastique en tu lugar. Un bebé sabe que tiene que mamar el pezón que se le presenta y aprender a alimentarse y a ser alimentado. Tal vez esta sea la segunda gran lección que tenemos que aprender. La primera es que para respirar primero debemos jalar el aire hacia dentro. Ambas lecciones son iguales: aprender a cooperar con el mundo, a trabajar con él, o de lo contrario pronto moriremos.

Pero si regresáramos a la historia de cómo conocí a Cat, podríamos imaginar una futura esposa muy rica, bien relacionada, que haría que nuestra vida profesional fuera fácil. Podríamos haberle pedido al universo que hiciera el trabajo difícil por nosotros y que simplemente nos hiciera un regalo. No creo que el universo habría cooperado. Lo que hicimos Cat y yo, a nivel individual, fue pedir a las energías divinas que dirigen al universo una relación vital y amorosa que nos ayudara a crecer… y eso fue lo que obtuvimos. Se necesitó algo de valor por parte de ambos para ver que la situación que se presentó era justo lo que necesitábamos. Cualquiera de los dos podríamos habernos alejado. Pero no lo hicimos.

Entonces, ¿qué podemos decir sobre todo esto? Aquí, la secuencia parece ser esta:

1. Pedir lo que necesitas (no lo que te gustaría);
2. Prestar atención a lo que llega;
3. Actuar con valentía;
4. Estar preparado para trabajar con ahínco con cualquier situación que se presente.

Estaremos abordando cada uno de estos puntos en los capítulos siguientes.

Al aprender estas lecciones, entendemos que somos cocreadores con el mundo. El universo nos da oportunidades y tenemos que aprovecharlas lo mejor que podamos. Cuando entendemos esto, no podemos evitar darnos cuenta de que esta es la naturaleza del hado y del destino. Somos humanos y moriremos… y a partir de este momento y hasta entonces, podemos elegir cómo viviremos nuestra vida. Como no podemos saber con certeza cuándo moriremos, con quién nos casaremos o cuántos hijos podríamos o no tener, hacer planes siempre será una aventura endeble. El vivir por lo general requiere que nos desprendamos de nuestra versión de la forma en que las cosas deberían ser para ajustarnos a la forma en que son en realidad. Por tanto, debemos aprender a amar y aceptar las cosas como son. Tenemos que aprender a estar en armonía con el destino y aceptar la mano amiga que nos extiende para guiarnos. Al aceptar el flujo, nos acercamos a tener vidas con sincronía.

5
Pide lo que necesitas

Voy a describir con claridad lo que significa estar en armonía con el destino y aceptar la mano que nos ofrece, ya que muy a menudo este es el concepto más difícil de entender para la mayoría de las personas.

Muchas personas no pueden ver la diferencia entre lo que desean en sus fantasías y lo que en realidad necesitan; lo que podría ser muy distinto. Yo podría desear ser famoso, pero tal vez lo que necesito para el crecimiento de mi alma es algo de trabajo arduo que ponga a prueba mi fe y me ayude a fortalecerme.

Ahora, imagina una persona que decide pedir un millón de dólares y un coche nuevo. Cuando uso ejercicios sobre este tema en mis talleres, muchas personas piden cosas muy similares. ¿Y a quién no le gustaría tenerlas? No podemos culparlas por tener ese deseo. Pero aquí debemos ser cuidadosos, porque el universo tiende a darnos exactamente lo que pedimos, pero tal vez no justo como lo habíamos imaginado.

Si analizamos este deseo en particular, es muy posible que encontremos a una persona que quiere el dinero y el coche por una razón, por lo general una razón egoísta. Un joven lo expresó plenamente cuando dijo que el dinero significaría que ya no tendría que luchar en un trabajo inútil, pues no tenía idea de lo que quería hacer con su vida, y el coche le permitiría mostrarles a sus amigos que "era un triunfador". Quería un atajo para llegar a tener confianza en sí mismo.

El significado real de su petición era: "Me preocupa mi posición. Estoy confuso sobre mi propósito en la vida, tengo inseguridad y por eso pierdo mucho tiempo y energía". El universo no va a escuchar la petición que él hizo sobre el coche y el dinero. Solo son palabras. El universo va a responder a su energía y a sus emociones. Lo que el universo puede ver es un hombre desesperado, inseguro de sí mismo… y le va a dar más de lo mismo.

Obtenemos más de aquello en lo que nos concentramos.

Tal vez otra comparación sea de ayuda aquí. Mi vecino tiene un perro que ladra mucho. Esto le molesta a él y a muchas otras personas. Así que cuando el perro ladra, él le grita. ¿Qué mensaje capta el perro? El perro capta el mensaje de que el ruido es divertido y que es bueno enojarse. ¡Obviamente va a hacer ruido y a mostrarse enojado! El perro ladra, su dueño hace más ruido, y el perro ladra más. ¡Qué divertido! Así que el perro ladra más y más cada día, y lo hace con más alegría que antes. Bueno, a mí me gustan mucho los perros, incluyendo este. También lo veo como un excelente ejemplo de la forma en que funciona el universo. El universo no responde a nuestras palabras sino a nuestras emociones, a la forma en que decimos lo que decimos.

El hecho que debemos establecer y aprender a respetar plenamente es que nos manifestamos exacto en el mismo nivel en que nuestros pensamientos y emociones pueden expresarse. En el mundo hay gente que manifiesta cosas que no desea, solo porque antes no han limpiado lo suficiente su mente y su corazón. El escritor y místico Alan Cohen lo expresa bellamente: "Todas las personas y las cosas que aparecen en nuestra vida reflejan algo que está sucediendo en nuestro interior".[1]

El don que se encierra en el hecho de reconocer esto es que podemos considerar que todo lo que no aparece en nuestra vida es un mensaje que tiene una enseñanza: las personas son nuestros maestros, como dice el Buda, porque podemos aprender mucho sobre nosotros mismos de las personas que son difíciles. En esa forma llegamos a tener una mayor comprensión de lo que pedimos, y podemos llegar a estar más conscientes de las formas en que nos estamos obstaculizando. Alan Cohen añade: "La alegría no es el resultado de obtener lo que deseas; es una forma de obtener lo que deseas. En el sentido más profundo, es lo que deseas".[2]

Por lo tanto, la tarea que enfrentamos no es sencilla. Tenemos que elevar nuestra conciencia emocional para poder manifestar lo que en realidad necesitamos. Eso significa que tenemos que reconocer que no hay atajos, y que lo que deseamos hoy podría ser lo mejor que podemos lograr en este momento. Entonces, cuando las cosas se presentan, debemos aceptar el hecho de que tuvimos algo que ver en el hecho de que llegaran a nuestra puerta. Al ir creciendo, podremos elegir cada vez mejor y en esa forma podremos estar plenos en el flujo de la sincronía. Eso es lo que nos corresponde hacer, y requiere de algo de esfuerzo y de algo de fe.

Uno de los mejores factores que podemos considerar es que cuando pedimos algo, ¿lo pedimos solo para nosotros mismos? Por ejemplo, ¿queremos una casa más grande solo porque nos dará más categoría ante la familia y los vecinos? Si pides algo solo para ti mismo, es muy posible que el universo solo capte el mensaje de que estás pensando en tu categoría o en tu posición, así que te mandará más cosas que hagan que tu mente se llene de dudas sobre tu categoría o tu posición. Intenta esto: no pidas solo para ti, sino para el mundo.

Esto no es simplemente un truco de magia. Si en realidad deseas una casa más grande, por ejemplo, pregúntate qué vas a hacer con ese espacio. ¿Solo para presumir? ¿O quieres más espacio porque sabes que podrías llegar a ser más eficiente como padre de familia, como hombre de negocios, como benefactor de la sociedad, si tuvieras esa casa? ¿Qué sucesos en sincronía harán que llegue a ti lo que deseas? ¿Vas a usar lo que venga para dar el siguiente paso?

¿Puedes ver la diferencia? Una petición hecha en esta forma tiene una pureza de propósito e intención que le da una concentración mucho más poderosa. Es más probable que una petición hecha en forma significativa produzca resultados, y necesitamos saber cómo hacer una petición. En el proceso, también tendremos que asegurarnos de evitar algunas trampas. Eso es lo que estaremos examinando en las siguientes páginas.

Algunas definiciones

Es probable que este sea el momento adecuado para analizar algunas definiciones; aunque debo decirte que tal vez no sean satisfactorias, ya que estaremos tratando de ser precisos en relación con algunos conceptos muy escurridizos. Hasta el momento hemos analizado la sincronía y la idea del flujo en oposición con la fuerza. Entonces, ¿cómo se enlazan estos conceptos con otras palabras importantes como destino, hado, la mano que guía, dharma y karma?

Hado y destino son palabras que se han usado con tanta libertad en el occidente que casi parece imposible comprenderlas, aunque ambas nos dicen que existe una meta final que de alguna manera se va a alcanzar, pase lo que pase. La mayoría de las personas usan frases como "el destino hizo que sucediera" o "estaba predestinado".

Por tanto, analicemos el dharma y el karma como formas alternativas de enmarcar la información que podría ayudarnos a salir de la vaguedad. En el pensamiento del Hinduismo y el Budismo, karma es una ley, no una posibilidad. En general, karma significa: lo que se va, regresa. Si hago algo malo, regresará a mí; y pasa lo mismo si hago algo bueno. Por tanto, si me pasan cosas malas, debo tener en cuenta esa ley y no perpetuar esa situación respondiendo con malas acciones. Tal vez solo se trate de la expiación del karma de una encarnación anterior.

Sin embargo, no es tan fácil definir la palabra dharma. En el pensamiento del Hinduismo, dharma se relaciona con la actitud que se tiene al hacer algo. Puedo dar dinero a una obra caritativa, pero si lo hago a regañadientes, altero la armonía de mi área del mundo, y eso a final de cuentas afecta al mundo, aunque sea ligeramente. Es una versión del libre albedrío que nos permite cierta libertad, aunque al mismo tiempo reconoce el concepto de la ley divina: debería yo desear hacer lo que es correcto, pero también podría decidir hacer otra cosa.

Por tanto, dharma es tanto la existencia de la armonía como la acción de seguir el camino hacia la armonía. Sabemos que estamos en el camino del dharma porque sentimos la armonía en la que nos estamos moviendo y con la que nos estamos moviendo; en cierta forma esto es sincronía como la hemos descrito. No tiene que ver con forzar, sino con ser.[3]

Lo que es útil en relación con el dharma y el karma es que pueden ayudarnos a ver los conceptos del hado y el destino de una manera un poco más clara. Los conceptos occidentales y orientales no son tan diferentes en esencia, lo que nos muestra que este es un argumento universal. La humanidad ha luchado con esto al menos en algún momento de los últimos tres milenios y los resultados no han sido muy distintos. En cada caso se percibe que los sucesos se van a desenvolver en cierta forma, y que tenemos algunas opciones en cuanto a la forma de comportarnos cuando eso suceda, y que nuestras acciones pueden afectar el resultado. Esas opciones pueden llevarnos a un caos mayor o a una mayor armonía; así que lo ideal sería elegir la ruta de la mayor armonía, si podemos verla.

Es obvio que podríamos entrar en más detalle, pero siento que esta es una definición bastante funcional por el momento, ya que tendremos que permanecer abiertos y flexibles para poder ver cómo funcionan las cosas. Desde mi punto de vista, nunca se tuvo la intención de que la existencia de estos términos fuera específica, pues no se puede esperar que los seres humanos sean capaces de definir algo que es mucho más grande que nosotros. Estos términos son, y siempre han sido, aproximados. Las palabras nos permiten hablar sobre los conceptos.

Y por eso necesitamos la literatura para ver los conceptos en acción.

6

Sincronía en la literatura

Centrar tu atención en lo que aparezca en tu camino

Es probable que en este punto ya te estés preguntando si hay alguna evidencia objetiva de la existencia del flujo y de la mano que guía que he estado describiendo. No estoy seguro de que puede demostrarse científicamente, aunque hay muchas pruebas de su existencia basadas en anécdotas.

Sin embargo, existe un indicio específico en un lugar obvio. Casi todas las grandes leyendas y la mayoría de las grandes obras literarias del mundo occidental de los últimos dos milenios se basan en la idea de hacer lo que parece correcto en lugar de hacer lo que uno podría calcular que sería específicamente ventajoso para él. Cuando seguimos lo que nos parece correcto, los sucesos conspiran para ayudarnos. Joseph Campbell señaló esto con claridad en sus numerosas conferencias y libros, al decir que la esencia del trayecto del héroe, un tema importante en la literatura, incluía no tomar el camino seguro sino seguir los impulsos internos del corazón aunque tal vez parezcan un camino bastante riesgoso.

Un ejemplo de esto es el incidente en que Sir Gawain inicia su peregrinar para luchar contra el Caballero Verde en la famosa leyenda medieval. Él cree que va hacia una muerte segura, pero de cualquier modo va porque seguir la ruta "segura" de huir destruiría su sentido del honor. Él sabe que eso le rompería el corazón. A lo largo del camino recibe la ayuda de ciertas coincidencias y el Caballero Verde le perdona la vida. Cuando regresa con su relato de éxitos y fracasos, sabe que su destino lo ha llevado a donde necesitaba ir para poder desarrollar su sabiduría.

Sir Gawain inicia su viaje con un rígido código de conducta moral cuidadosamente definido, pero cuando regresa tiene un corazón más compasivo y humilde. Y podríamos mencionar muchos otros incidentes de este tipo. La literatura no es "verdadera" en el sentido de ser precisa en cuanto a los detalles de los hechos. Es más bien una metáfora que describe ciertos procesos espirituales internos que son vitales. De eso estamos hablando ahora. La literatura está llena de esas metáforas, en especial de metáforas relacionadas con el trayecto hacia una mayor sabiduría. De hecho, este parece ser un tema tan básico que se podría argumentar que las obras literarias y las leyendas refuerzan esta idea central: las cosas pasan por una razón.

EJERCICIO: Hay algo que puedes hacer en este momento: identifica tres o cuatro de los momentos cruciales o decisivos de tu propia vida. Con esto me refiero a momentos en que te diste cuenta de que algo había cambiado para ti y que ya no veías al mundo en la misma forma. Anótalos en este momento. Tómate unos minutos. Si lo deseas puedes escribir más sobre estos sucesos incluyendo la razón por la cual consideras que fueron importantes.

Cuando he hecho este ejercicio con diversos grupos, me he sorprendido por las cosas que salen a la luz. Una mujer anunció a un grupo de personas muy sorprendidas que cuando un murciélago entró volando a su habitación y ella sintió miedo por la posibilidad de que le contagiara rabia mientras trataba de ahuyentarlo, se dio cuenta de lo grande que era su deseo de vivir. Antes de que llegara el murciélago en esa noche oscura y nublada, ella había estado planeando cuidadosamente cómo acabar con su vida. Cuando se fue el murciélago, ella supo que deseaba vivir y se aterrorizó pensando en que podía morir a causa de la rabia. Un hombre de ese mismo grupo comentó la forma en que se desvió un viaje a Maine que había planeado. Conoció a la persona con quien pasaría su vida y en lugar de ir a Maine viajaron al sur, hacia Massachusetts, donde se quedaron durante los siguientes 40 años.

Cuando nos tomamos tiempo para ver lo extrañas y aleatorias que nuestras vidas parecen ser, nos damos cuenta de que en general y en mayor o menor grado, hemos estado siguiendo a nuestro corazón, y que cuando lo hacemos hay una mano que nos guía y resuelve las cosas para nosotros.

A veces también podemos ignorar esa mano que nos guía. Cuando yo estaba estudiando mi maestría en Oxford, acepté una invitación para dar una plática a los miembros del grupo teatral local en una ciudad cercana. No me pagarían por la plática y, sin embargo, tendría que dedicar tiempo y esfuerzo para darla, pero de todos modos fui a darla. Después de la plática, una mujer me preguntó qué estaba yo estudiando y le dije que estaba escribiendo una tesis sobre Joseph Conrad. Se quedó pensativa y dijo que me pondría en contacto con un amigo que tenía varias cartas de Conrad que nunca se habían publicado. Seguí esta pista y poco después tenía ante mis ojos media docena de cartas literarias desconocidas, cada una de ellas era una joya. Me sentí inmensamente agradecido y lo dije. Sabía que gracias a esto podría conseguir al menos un par de publicaciones en los periódicos al inicio de mi carrera. ¡Qué gran don! Mi ego estaba feliz, te lo aseguro.

Yo, por supuesto, estaba muy agradecido por este golpe de suerte y envié a cada una de las personas involucradas un regalo pequeño, limitado por lo que me permitían mis reducidos ingresos. Entonces, el hombre que tenía las cartas me dijo que tal vez también podría yo ponerme en contacto con su tío. Resulta que el tío tenía 12 álbumes enormes que habían pertenecido a su abuelo en los que había otras 50 cartas de Conrad, Henry James, H. G. Wells, Thomas Hardy y otros. Las grandes figuras literarias de la época estaban representadas. Incluso había una nota de Charles Dickens. Al paso del tiempo, escribí 17 artículos literarios sobre estas cartas nunca antes publicadas, y como resultado de este hecho afortunado, que tal vez fue útil para mi carrera en ese entonces, obtuve un sentido renovado de la extraña naturaleza del destino.

Pero eso no fue todo. Veinte años después, la persona que publicó la recopilación de las cartas de Thomas Hardy se puso en contacto conmigo para preguntar si podía ver las cartas en sí, y para saber si yo sabía quién las tenía. En esos veinte años, al parecer habían desaparecido por completo. No pude localizar a las personas con quienes había yo hablado. Tal vez ahora los documentos se habían perdido en forma permanente. Quizá en esa época pensé que la suerte me estaba favoreciendo. Ahora pienso, con gratitud, que yo fui el instrumento que permitió que esas cartas no se perdieran sin dejar rastro.

Cuando estaba yo preparando esos artículos para publicación (allá en 1984) recordé algo más. Más o menos dos años antes, gracias a una serie de circunstancias, acabé viajando a Cambridge para hablar sobre mis estudios con una persona que era un completo extraño para mí. En ese momento recordé que este hombre también había dicho que creía saber dónde podrían estar otras cartas de Conrad. Yo no había escrito los detalles y en ese época no estaba especialmente interesado en ese giro literario; solo me interesaba ir a Cambridge para saber por qué la chica que amaba no estaba respondiendo como yo esperaba que lo hiciera, y ante todo estaba preocupado por tratar de encontrar la manera de hacer que ella viera las cosas en forma diferente. En el proceso, ignoré lo que el destino me estaba mandando. De hecho, había arruinado las cosas a tal grado que ni siquiera estuve consciente de ello sino después de mucho tiempo. Estaba tratando de forzar las cosas en una dirección cuando era obvio que las cosas querían que yo me moviera en otra dirección.

Si has experimentado algo similar, toma un momento ahora para ponerlo por escrito. A veces insistimos en no ver lo que se supone que debemos ver, porque no prestamos atención a lo que llega. Pero cuando estamos listos, las estrellas se alinean y los ángeles cantan.

7

Actúa con valentía

La metáfora del príncipe cinco armas

Entonces, ¿cómo elevamos nuestra conciencia personal para pedirle al universo lo que necesitamos? ¿Cómo podemos ayudarnos a avanzar hacia el flujo de la sincronía? Por fortuna, contamos con varios mitos que nos instruyen sobre lo que podemos esperar. Hablemos de un par de ellos.

Por ejemplo, hay una historia sobre el Buda según la cual, dos encarnaciones antes de que llegara a ser el Buda, él fue el Príncipe Cinco Armas y tuvo que enfrentarse al monstruo Cabello Pegajoso.

En el relato, el Príncipe Cinco Armas acaba de dejar a su maestro de armas, pues ha terminado su entrenamiento. Se siente muy bien consigo mismo, pero el monstruo Cabello Pegajoso se enfrenta a él obstaculizando su camino y amenazándolo. El príncipe dispara sus flechas contra el monstruo, pero solo se pegan al pelo del monstruo. Entonces usa su espada con el mismo resultado. Después le arroja su lanza, pero pasa lo mismo. A continuación usa su mazo. También se pega en el pelo del monstruo. Finalmente, el príncipe se lanza contra el monstruo y trata de golpearlo con sus puños y sus piernas. Pero se queda pegado. En ese momento, el monstruo le dice que se dé por vencido. El príncipe se niega, no está dispuesto a darse por vencido porque en su interior hay un poder que los destrozará a ambos, aunque el monstruo lo devore. En ese momento, el monstruo reconoce la superioridad de la valentía del príncipe; se rinde y está de acuerdo en ser su sirviente y aprender de él.[1]

Tal vez este peculiar relato parezca tener muy poco que ver con los atributos pacifistas del Budismo, que todos conocemos. Pero en otros aspectos, tiene mucho que ver con la conciencia de uno mismo que es característica del Budismo y es una forma excelente de considerar la dificultad que implica renunciar a los apegos del ego, ya que se necesita valentía para hacerlo. Necesitamos interpretar este relato como una metáfora para entender uno de los pasos que pueden ayudarnos a desprendernos del ego.

Para empezar, el Príncipe Cinco Armas está en un lugar de éxito para el ego: ha tenido muchos logros y se siente invencible. Pero se nos dice que esto ocurrió dos encarnaciones antes de que él llegara a ser el Buda, así que podemos estar bastante seguros de que lo que aprendió aquí será una lección que él necesitará a lo largo del camino de la iluminación. El monstruo, por lo tanto, no es una criatura externa; es una criatura que brota a la existencia y amenaza el frágil sentido de identidad que tenemos y que se basa en el ego. Puede amenazarnos ya sea que seamos príncipes exitosos o limosneros paupérrimos. De todos modos nos busca. Y lo que hace es mostrarnos que las fuerzas con que normalmente contamos, nuestras cinco armas y nuestros cinco sentidos de la vista, el oído, el tacto, el gusto y el olfato tienen que enfrentarse a algo que viene de un ámbito por completo distinto. ¿Qué hacemos cuando las cosas que existen fuera de nuestra zona de confort nos presentan un desafío? Bueno, tendemos a intentar dominarlas usando lo que existe en nuestra zona de confort. En otras palabras, tal vez pensamos que somos bastante importantes en nuestro mundo cotidiano. Tenemos algo de prestigio y algunas posesiones que tal vez hacen que tengamos una buena imagen. Entonces, un día sucede algo que hace que esos bellos atributos, nuestras cinco armas, parezcan inútiles. De hecho, parece que esto es lo que le sucedió al Príncipe Cinco Armas. Él es un príncipe, acaba de alejarse del maestro que le enseñó a usar sus armas, tiene confianza en sí mismo como guerrero. La vida le favorece. Y luego, en su momento de orgullo, es atacado por algo que no obedece las reglas usuales.

¿Qué podría significar esto? ¿A qué se está enfrentando? Podríamos ver esto como una especie de crisis de los cuarenta, aunque en realidad es la clase de suceso que puede ocurrirle a cualquiera de nosotros en cualquier momento, cuando estamos en el mundo del ego, porque en el fondo el monstruo es una representación del miedo que sentimos cuando dudamos de nuestra valía interna. El Príncipe Cinco Armas es un buen ejemplo de esto porque, después de todo, él es un guerrero. Sabe que es valiente y sabe que puede atemorizar a otros… incluso puede aterrorizarlos con el miedo a la muerte. En esa situación, es posible que olvide su propia mortalidad si solo está pensando en sus propios logros.

La mayoría de nosotros no somos figuras heroicas, pero esa misma lección también se aplica a nosotros. Seguimos adelante con nuestra vida y luego sucede algo que trastorna nuestro sentido de identidad, lo que nos dice quiénes somos. Tal vez un ser amado nos abandona o perdemos nuestro trabajo. Tal vez nuestros hijos, o nuestro jefe, se ponen en nuestra contra. A veces esta sensación se manifiesta simplemente como el miedo a la muerte. La mayoría de las personas hacen su mejor esfuerzo por desterrar el miedo usando los recursos de los cinco sentidos que siempre han sido tan eficaces y nos han ayudado a superar los tiempos difíciles. Esa es una razón por la cual las personas que están deprimidas salen de compras o las personas solitarias opten por comer o beber demasiado. Las actividades compulsivas de cualquier tipo son intentos por manejar la incertidumbre. Esta táctica no puede funcionar porque la amenaza, el miedo, viene de una dimensión psicológica y la solución propuesta es solo un consuelo físico para compensar una necesidad real. Cuando esto ocurre, quedamos indefensos, y nos vemos obligados a recurrir a nuestro propio sentido de autenticidad personal.

Recuerda que el Príncipe nunca dice exactamente qué es lo que él tiene que puede hacer que él y el monstruo vuelen en pedazos. Solo afirma que lo que siente en su corazón es más fuerte que cualquier amenaza externa que intente privarlo de ello. Se niega a renunciar a su espíritu inmortal y convertirse en un esclavo. No está dispuesto a ceder ante el miedo.

Esta confrontación, esta lucha cuerpo a cuerpo con un monstruo, es un componente de casi cualquier obra literaria de importancia. Ya sea que se trate del enfrentamiento final entre los pistoleros en la película *High Noon [La hora señalada]*, de los duelos en el clímax de *Hamlet* y *El Rey Lear*, de la escena en que San Jorge mata al dragón o del enfrentamiento final entre James Bond y los múltiples villanos con los que tuvo que luchar, es esencialmente lo mismo. En la película *Harry Potter y las reliquias de la muerte [Harry*

Potter and the Deathly Hallows], Voldemort tiene a Harry en su poder y le pregunta por qué está vivo. La respuesta de Harry es: "porque tengo algo por lo cual vale la pena vivir".[2] Esto podría haberse tomado directo de la leyenda de Cabello Pegajoso. ¿Cómo podríamos entenderlo en otros términos?

El hombre que sufre el acoso de sus compañeros de trabajo podría intentar todo lo que está a su alcance para triunfar en esa situación. Podría intentar apaciguarlos; podría tratar de adularlos. Podría enojarse o hundirse en el pánico; podría correr o volverse vengativo. Incluso podría ponerse hecho un basilisco y empezar a dispararle a la gente. Pero lo mejor que puede hacer, lo que va a vencer estas amenazas que vienen del exterior es reconocer que nadie puede vencerlo a menos que él esté de acuerdo. Nadie puede quitarle su autenticidad, aunque él pueda decidir renunciar a su trabajo e irse. Esta es una prueba espiritual que de hecho te hace esta pregunta: "¿vas a vivir con temor o con valor?". Podemos elegir el miedo, el ceder deshonroso, la opción fácil. Eso siempre es una posibilidad que es como una oferta especial en una tienda. Pero si optamos por el valor, entonces estamos honrando lo que es auténtico en nuestro interior; estamos eligiendo amarnos a nosotros mismos.

La historia, por lo tanto, tiene que ver con tener acceso a nuestro propio valor y a nuestro sentido de certeza interior para seguir siendo lo que somos. El monstruo que nos atacará a todos es exactamente como Cabello Pegajoso. Es el monstruo que existe en la psique y por lo tanto no se le puede vencer en forma convencional. Por tanto, tal vez el hombre que ha llevado una vida de timidez y temor, no ha sido capaz de aceptar al monstruo, y ninguna cantidad de actividades compensatorias puede resolverlo. Por supuesto, algunas personas llegan a ser ricas y arreglan su vida de tal manera que *parecen* ser héroes valientes. Esa es una de las razones por las cuales los hombres de edad madura compran coches deportivos o motocicletas. Pero aunque lo hagan, en lo profundo de su ser saben que no son héroes, así que tienen que montar otra pantomima para poderse sentir bien temporalmente. En esta situación, la mayoría de nosotros haríamos algo similar, y lo seguiríamos haciendo hasta que se nos acabaran las "armas"... pero todavía nos quedaría el miedo.

En términos psicológicos, esto significa que una parte importante del crecimiento psíquico incluye enfrentar nuestros miedos y dominarlos. No solo porque el valor sea bueno, sino porque enfrentar aquello que es exactamente lo opuesto a lo que somos nos ayudará a entender la verdadera naturaleza de lo que somos. Nos ayudará a encontrar la plenitud.

Cada uno de nosotros tiene miedo en su interior, es inevitable, y es algo que no es posible desterrar, pero puede manejarse. Debemos notar que el Príncipe Cinco Armas no exhibió al monstruo por todas partes después de vencerlo para jactarse de su triunfo. No vuelve a mostrar el orgullo basado en el ego que tenía antes. Por el contrario, deja al monstruo al cuidado del guardián del aterrador bosque en que vive. Necesitamos el miedo en nuestra vida porque nos protege de riesgos innecesarios, pero también necesitamos tenerlo bajo control.

Siempre podemos decidir ignorar esta clase de oportunidades. Las personas que han vivido sucesos milagrosos pueden optar por atribuirlos a la suerte o simplemente decir que no entienden lo que sucedió. El montañista Joe

Simpson sobrevivió a una caída desde una montaña de los Andes y un trayecto de dos días arrastrándose de regreso al campamento con el fémur fracturado, aunque los miembros de su grupo no creían que hubiera podido sobrevivir. En sus memorias, *Touching The Void [Tocando el vacío],* declara que no le encontró un significado a esta aterradora aventura.[3] Mi propio padre, que se enfrentó a un fantasma que pasó frente a su coche causándole un impacto considerable, aseguró hasta el día de su muerte, que no creía en los fantasmas. Cuando alguien le pedía que nombrara lo que había experimentado, decía que era un fantasma, pero seguía asegurando que no creía en los fantasmas.

De manera similar, podemos negarnos a conocer nuestro Ser Sombrío, que en parte es lo que representa el monstruo Cabello Pegajoso. Nuestro Ser Sombrío es esa parte del ser que hemos desterrado. Así es como se presenta. Si somos competitivos en nuestra vida (y quién no lo es), entonces aprenderemos a valorar las competencias que nos dan ventaja. Debemos ser más rápidos, más agudos y más decisivos que nuestros rivales, y esto nos ayuda a obtener lo que deseamos. Pero también debemos reconocer que en el otro lado de nosotros mismos hay una versión más oscura del mismo impulso que no solo desea triunfar, sino que desea aplastar a otros. Queremos aniquilar la competencia, no solo queremos llegar primero a la meta.

En el interior de cada uno de nosotros existe la capacidad de ser crueles, de aplastar, de destruir, incluso de matar. Casi siempre mantenemos esto bajo control, ¡aunque podría aflorar en nuestro lenguaje cuando vemos una competencia deportiva! De hecho aflora en quienes gustan de los juegos de video que son violentos. Este es nuestro lado oscuro y la mayoría de las personas no quiere conocerlo o finge que nunca lo ha conocido. A veces aflora cuando hemos bebido demasiado o estamos bajo estrés.

Por extraño que parezca, también se manifiesta en el tráfico. Tal vez nos reímos de las "riñas de tránsito", pero dentro de esas protegidas cajas de acero llamadas coches, todos somos testigos, todos los días, de lo furiosas que se ponen las personas comunes bajo ciertas circunstancias. La gente agita los puños y maldice contra otros. El otro día, en la calle principal de la ciudad donde vivo, vi a dos personas envueltas en un altercado sobre cuál de sus coches debería pasar primero. Mientras los observaba, uno de ellos saltó fuera de su coche, sacó a jalones al otro de su coche y empezaron a pelear. Naturalmente todo se detuvo, hasta que la esposa del primer hombre se lo llevó a rastras y lo obligó a subir a su coche.

¡Una ira incontrolada! El hombre no solo estaba reaccionando en forma exagerada, en realidad era impotente ante su propia ira. Todos los que estaban en ese crucero de tráfico pesado vieron lo que sucedió, y la mayoría mostró su desaprobación ante esa situación. Para nuestros propósitos, podemos notar que el Príncipe Cinco Armas queda totalmente pegado al monstruo. En esta metáfora, la historia nos muestra que cuanto más luchemos contra lo que reconocemos como las partes oscuras y anárquicas de nosotros mismos, más se apoderan de nosotros, porque de hecho son partes de nosotros mismos. Si tienen la oportunidad, nuestros impulsos primitivos se apoderan de nosotros... a menos que lleguemos a reconocerlos. La lección es aprender a aceptar los aspectos de nosotros mismos.

En mi país natal hay un dicho bien conocido: "el hogar de un inglés es su castillo". La situación con Cabello Pegajoso tiene un dejo de eso, al igual que las leyes que rigen en muchas partes de Estados Unidos y que permiten que la gente dispare contra quienes irrumpen ilegalmente en sus hogares. La ley reconoce que bajo ciertas circunstancias, un hombre podría sentir que existe una justificación para matar a alguien que irrumpe ilegalmente en su casa. Un juicio sumario que condene a muerte a una persona, presidido por un juez y un jurado, no parece estar asignando una sanción adecuada para un asalto, al menos esa es mi opinión. Sin embargo, yo también he sentido ese impulso de ira. Por fortuna, cuando lo he sentido, también he sido capaz de reconocer, aunque en ocasiones lo hice mucho tiempo después, que fácilmente pude haber cedido ante la oscura fuerza en mi interior y pude haber cruzado los límites hacia la violencia. Este conocimiento me ha ayudado a crecer en compasión, en especial hacia quienes han sido presa de la ira y han sufrido a consecuencia de ello. He sido capaz de ponerme en su lugar.

De eso se trata el Yo Sombrío. Contiene las partes de nosotros mismos que no queremos reconocer. Por eso debemos llegar a conocerlo, a valorar su fuerza y luego a mantenerlo en el lugar que le corresponde. Ese es el valor que muestra el Príncipe Cinco Armas. Desde que él vive este suceso, dos encarnaciones antes de llegar a la iluminación como el Buda, podemos ver que el relato contiene la metáfora que nos dice que debemos alcanzar el mismo grado de comprensión que alcanzó el Príncipe Cinco Armas mucho tiempo antes de que podamos tener la esperanza de alcanzar el nivel de conciencia que representa el Buda. La historia nos muestra nuestro camino, las piedras por las que tenemos que caminar para cruzar el río, para seguir adelante.

Es claro que esta historia describe cómo podemos llegar a conocer nuestros impulsos destructivos y aceptarlos. Si no lo hacemos, ellos nos tenderán emboscadas en diversas ocasiones, y gobernarán nuestra vida en lugar de permitir que la gobierne nuestro aspecto más pacífico. Esta clase de metáforas funcionan porque nos ofrecen relatos que no deben entenderse en forma literal sino como descripciones de los procesos psíquicos.

Vale la pena señalar que después de ser derrotado, a Cabello Pegajoso se le confió un empleo como sirviente y guardián. Se le aceptó y se le amó. Este es un detalle que aparece una y otra vez en varios otros mitos similares. Esto indica que este monstruo es como una organización rebelde que tiene que recurrir a métodos extremos para que se le reconozca, pero una vez que se le reconoce, está ansiosa de ser parte del nuevo sistema de gobierno y trabajar en forma pacífica en el nuevo régimen.

Al reconocer este detalle, podemos decir que en el fondo el monstruo es amoroso, compasivo y pacífico. Debe serlo, pues el príncipe pudo domarlo cuando activó su propio sentido de compasión. Su iracundo aspecto externo es simplemente el papel que se sintió obligado a representar. Y en realidad, eso es el enojo. Es una reacción al hecho de ser lastimado. Nos exaltamos porque nuestro sentido de lo que es bueno ha sido lesionado, porque sentimos que no se nos toma en cuenta o que no se nos valora. Incluso detrás del peor de los criminales hay, a final de cuentas, una persona que en cierto nivel desea ser amada y aceptada. Tal vez se requieran enormes esfuerzos para restringirla, al menos al principio, pero la necesidad interna es la misma.

Este relato, este mito, es solo un ejemplo de la necesidad de conocer los aspectos de nosotros mismos que habitualmente tratamos de ignorar, y de la forma en que podemos enriquecer nuestra psique si nos damos la oportunidad de trabajar con ellos. De hecho, existen muchos aspectos del Yo Sombrío que tenemos que enfrentar y que brotan de la misma serie de impulsos reprimidos o malentendidos. Ahora analizaremos algunos de ellos. Para hacerlo, necesitaremos saber cómo se originan estos aspectos sumergidos de nosotros mismos.

Los mecanismos de represión se conocen bastante bien. A medida que crecemos, internalizamos las reglas y leyes que nos indican cómo ser agradables y comportarnos adecuadamente como parte de nuestro proceso de socialización. Aunque no sintamos el deseo de ser agradables con algunas personas, tenemos que hacerlo y reprimimos nuestro enojo. En el proceso, podríamos negar que tenemos estos sentimientos. Los ocultamos.

Pero hay algo más que debemos considerar. El relato de Cabello Pegajoso nos pide que analicemos la forma en que llegamos a nuestro sentido de lo que es "bueno" o aceptable. A primera vista, Cabello Pegajoso no es ni bueno ni aceptable; sin embargo, como hemos visto, tiene mucho que ofrecer. La trampa en la que podemos caer es pensar que solo son valiosas aquellas cosas que son aceptables socialmente. Esto puede ser peligroso. Hay un lugar para el enojo, por supuesto, y hay un lugar para la comprensión, pero a menudo no queremos ver más allá de lo que está en la superficie. El encuentro con el Ser Sombrío nos pide que lo hagamos.

Por ejemplo, de nuestro ambiente cultural podríamos asimilar ciertas formas de comprender las situaciones de la vida; tal vez el hecho de que "se supone" que nuestra esposa o nuestro ser amado debe actuar en cierta forma.

En Estados Unidos, se supone que los hombres deben ser bronceados, musculosos y encantadoramente decisivos... que es la imagen que da Hollywood. También se espera que las mujeres tengan cierto aspecto, lo que incluye senos grandes, piernas largas y normalmente cabello rubio. Observa cualquier fila de porristas en un juego de pelota y verás a qué me refiero. Estamos conscientes de estas cosas porque se validan a nuestro alrededor todos los días. Si no cuestionamos estas imágenes, es probable que seleccionemos a nuestra pareja basándonos en este conjunto superficial de atributos aceptables y es probable que valoremos mucho esas características, siempre y cuando la persona también sea razonablemente agradable. Esto es lo que la cultura nos dice que es "bueno". Muchas personas viven su vida en base a eso.

Pero también hay otras fuerzas en juego. A medida que crecemos, desde la primera infancia hasta la vida adulta, observamos a los adultos que nos rodean y formamos imágenes de lo que "debería" ser un hombre o una mujer. Recibimos impresiones psicológicas tempranas relacionadas con esto. Por tanto, si nuestra madre fue razonablemente competente y amorosa, es probable que tengamos la predisposición a valorar más a las mujeres que comparten algunas de las características positivas de nuestra madre, tal como las percibimos cuando éramos niños. Pasa lo mismo con un padre o con una figura paterna, si lo amábamos y lo estimábamos.

Por desgracia, pasa también lo mismo cuando los padres son tiranos y crueles. Si no tenemos cuidado, tomaremos esas imágenes tempranas que tenemos y las proyectaremos en la primera persona que parece más o menos adecuada para nuestras necesidades personales, y que además corresponde a los estándares sociales aceptados de lo que debería ser la belleza masculina o femenina. Hacemos esto antes de tener una idea de quién es en realidad la persona, y a menudo los hombres y mujeres afirman estar enamorados muy poco tiempo después de conocer a alguien que al parecer se ajusta a esta imagen. Tal vez estén enamorados, pero a veces no están enamorados de la persona; están enamoradas de lo que han proyectado en ella.

Las imágenes que proyectamos son imágenes que no hemos examinado y que en realidad no conocemos. Si no sabemos lo que estamos proyectando, siempre cometeremos errores. ¿Y por qué los cometemos? Nos hemos puesto una trampa con nuestra carnada favorita ya colocada en el anzuelo.

Creo que todos hemos visto esto. Hemos sido testigos de incidentes en que es obvio que una persona que conocemos ha creado una imagen de alguien que le atrae... una imagen que casi no tiene nada que ver con la persona real. Yo mismo lo he hecho, y he recibido las proyecciones de otros, lo que ha sido una experiencia profundamente incómoda. Este es el mismo tipo de cosa que vemos cuando una persona desarrolla una fijación con una estrella de cine. En esos casos, la proyección ha quedado totalmente fuera de control, y puede llegar a ser muy desagradable.

Los psicólogos dan a esto el nombre de transferencia. En el caso de una relación entre el terapeuta y su cliente, lo que se transfiere al terapeuta es una serie de sensaciones que tiene el cliente; por lo general sensaciones que no reconoce, que no entiende y que se relacionan con los padres del cliente o con sus experiencias de la infancia. En ocasiones, estas sensaciones pueden ser muy negativas. Por ejemplo, es muy probable que la persona que tiene dificultades con las figuras de autoridad sea alguien que no pudo resolver sus dificultades con sus padres, y las dramatiza ante cualquier figura de autoridad que se presente. Por tanto, es lógico que no tenga sentido maldecir a los oficiales de la policía en todo momento, pero muchos hombres parecen hacerlo los sábados después de beber demasiado. Solo están proyectando su ira hacia una figura conveniente. Hoy es un oficial de la policía; tal vez mañana sea una persona de una minoría étnica, un extraño o un grupo religioso.

Una de las tareas de nuestra vida, por lo tanto, es hacer que estas proyecciones afloren y examinarlas para no ser engañados por las emociones que creemos sentir; sin embargo, existe un nivel más siniestro de la Sombra que debemos enfrentar, ya que proyectamos el dolor sumergido que tenemos y lo lanzamos contra otros, a menos que tratemos de comprender el dolor y dejemos de proyectar esos sentimientos.

Algunos de esos sentimientos no son en realidad lo que queremos o necesitamos. Nadie necesita casarse con el clon de un padre abusador, pero esto ocurre muy a menudo. Los niños que crecen en hogares donde se abusa de ellos tienden a casarse con gente que abusará de ellos. ¿Por qué? Porque al nivel de la Sombra reconocen los atributos con los que están familiarizados, atributos que pertenecen a alguien que los va lastimar, responden a ellos e incluso los aceptan con gusto en su vida. Todos los días hay mujeres que reciben golpizas y mueren a causa de esto.

La Sombra no es simplemente una fuerza y no se le debe subestimar. Puede ser muy peligrosa. En sus niveles más profundos, extremos y turbios existe el deseo de asesinar y de ser asesinado. Esa fuerza en particular se representó en los mitos noruegos como un ser desquiciado, un guerrero que ha dejado de ser humano y se ha convertido en una máquina asesina sin control, hasta que él también es asesinado. En la época de Shakespeare esta figura apareció en las obras teatrales como un vengador, una persona tan enfurecida por los daños que se le han causado que destruye a otros, aunque sabe que sus acciones causarán su propia muerte. En nuestros tiempos hay hombres y mujeres "mártires" que deciden destruirse por sus creencias y matar a otros, así que no tenemos que buscar muy lejos para encontrar gente que es similar a esos personajes. Esta es la Sombra en su estado más burdo y caótico, y ni siquiera los ciudadanos estadunidenses cultos son inmunes a este tipo de tentaciones. Algunas personas que han sido detenidas recientemente, son estadunidenses que viajaban al Oriente Medio para recibir entrenamiento como mártires y así prepararse para volver a Estados Unidos a causar devastaciones. En esas circunstancias, nos vemos obligados a reconocer el formidable poder que la Sombra puede ejercer.

Una forma menos obvia de la Sombra se hace evidente en algunos casos de depresión, en especial cuando la persona no tiene interés por vivir, y en consecuencia, tampoco le importa quién muera. Por eso, las personas deprimidas e iracundas disparan contra la gente y luego se suicidan, o conducen ebrios y matan a otros. Con solo echar un vistazo a los periódicos y servicios noticiosos podemos darnos cuenta de que esto es más común de lo que quisiéramos pensar.

Por tanto, resumiendo lo que hemos visto hasta ahora: a menos que entremos a las profundidades de nuestra parte sombría con el fin de ver cómo opera, caeremos en ciertos engaños muy peligrosos. Pero esto no responde a la pregunta de cómo podemos realmente llegar a una zona de introspección que nos permita evitar tales confusiones, en especial en lo relacionado con la persona de quien nos enamoraremos. Una vez más, las leyendas y los mitos pueden ayudarnos en el siguiente paso, el cual va más allá de enfrentarnos a los monstruos de nuestra mente. Ahora que los mitos nos han mostrado cómo poner bajo control al miedo y a los impulsos destructivos, también pueden ayudarnos a explorar los demás aspectos de lo profundo de nuestro ser.

8
Hacer el trabajo

Dante y el descenso a las tinieblas: Conocer a la sombra

En la mitología europea, este proceso específico de autodescubrimiento, por lo general, se representa en escenas donde un héroe literalmente desciende al inframundo y se encuentra con los muertos. Ahí puede ver a quienes han dejado el mundo y que por haberlo dejado, pueden verlo en una forma diferente y hablar más abiertamente de la experiencia humana. Ya sea que se trate de la *Odisea,* la *Divina comedia* o los cuentos de Harry Potter (en los que Harry a menudo visita sucesos del pasado), la primera parte de este proceso incluye entrar a un inframundo que permite al viajero (y al lector) pensar en forma diferente sobre la naturaleza del mundo cotidiano.

Se trata de un patrón muy antiguo. Uno de los mitos más antiguos que se han registrado y han llegado a nosotros, proviene de los sumerios. Se relaciona con Inanna, la diosa suprema, que descendió desde su reino hasta el inframundo, la tierra de los muertos, cuya gobernante es su enemiga. Pero no es una enemiga común y corriente, ya que se trata de su hermana Ereshkigal, e Inanna teme que quiera asesinarla. En el camino hacia su encuentro con ella, Inanna pasa por siete puertas y en cada una de ellas se le obliga a despojarse de una prenda real de la que está muy orgullosa, hasta que queda desnuda. Esto es un eco interesante de la escena en que el Príncipe Cinco Armas descubre que sus destrezas para luchar son inútiles al enfrentarse a Cabello Pegajoso. De manera similar, el descenso de Inanna parece incluir el hecho de despojarse del ego.[1] Este mito es importante para nosotros porque los mitos sumerios son la base de muchos relatos religiosos que aparecieron más tarde en el Medio Oriente, incluyendo la Biblia. Por lo tanto, este mito puede considerarse una de las referencias más antiguas que tenemos para lo que al paso de los siglos ha llegado a ser un patrón con el que estamos muy familiarizados.

Aquí vamos a analizar un relato mucho más reciente, de manera específica, la *Divina comedia* de Dante. La elegí porque en cierta medida representa los relatos relacionados con descender a lo profundo de uno mismo y las razones por las cuales esto podría ser necesario desde el punto de vista espiritual. Se escribió entre 1308 y 1321 y ha impactado a incontables generaciones de lectores; un signo seguro de que podría tener un mensaje útil para nosotros.

Por supuesto, el relato de Dante es muy dramático: un descenso al Infierno y luego un ascenso al Cielo. No quiero dar a entender que tengamos que pasar por algo tan drástico, aunque las personas que han vivido desastres a menudo han salido de ellos renovadas, y sienten que han pasado por el infierno. Muchos se consideran bendecidos por haber tenido esa clase de dificultades. Lo que quiero que notes es que el relato de Dante nos dice en detalle lo que podemos esperar encontrar si miramos a nuestro interior. Parte de lo que encontremos podría no ser muy agradable, y tendremos que enfrentar esas tendencias egoístas que todos tenemos.

Sin embargo, el mensaje de Dante es claro. Nos pide que observemos cuáles son las tendencias que mantienen a esas pobres almas atadas al Infierno. Cuando vemos esas fragilidades en otros, podremos conocerlas, evitarlas; y al aprender de ellas creceremos en compasión, pues veremos que estas faltas también están presentes en nuestro interior. Solo entonces podremos superar estos anhelos del ego que impiden que experimentemos la sincronía.

Dante nos presenta una estructura mítica; nos invita a considerarla profundamente, pues es una estructura de la que podremos aprender. A lo largo de este poema, el poeta Virgilio guía a Dante a través del Infierno, y puede ver una amplia gama de pecadores que están sufriendo y que son, de hecho, horribles. Una y otra vez, Dante encuentra pecadores que eligieron una ruta de egoísmo, y en el Infierno su castigo es repetir esa elección por siempre. Los ladrones, por ejemplo, pasan la eternidad empujando piedras enormes de un lado a otro, totalmente concentrados en lo que están haciendo. Eso es una versión de lo que hicieron en la vida, pues ignoraron de manera egoísta a las personas y se concentraron en sus actividades, así que ahora hacen lo mismo después de la muerte.

Dante parece decirnos: ten cuidado al elegir porque podrías tener que cargar con lo que elijas para siempre. Esta es una forma sorprendente y moderna de pensar en el mal y en el castigo. Conforme viajamos por los círculos del Infierno con Dante vemos una y otra vez que los pecadores eligieron su pecado en el mundo de los vivos y ahora sufren porque se les obliga a seguir con ese pecado en el

Infierno, eligiéndolo eternamente. Esto me hace recordar a los bandidos de Wall Street de tiempos recientes que siguieron buscando más y más dinero aunque parecía claro que no podían gastarlo en nada que valiera la pena. Parece que, para Dante, el pecado se relaciona con elegir en forma egoísta, no con decidir darle la espalda a Dios. Se relaciona con optar por la gratificación del ego e ignorar a otros.

Podemos aplicar este ejemplo a nuestro mundo moderno. ¿No es verdad que todos nosotros hemos elegido en forma egoísta y a causa de eso hemos dicho mentirillas? De acuerdo con lo que las encuestas informan a la prensa con regularidad, la mayoría de las personas están dispuestas a hacer trampitas en el pago de impuestos y a tratar de beneficiarse en lo financiero en sus cuentas de gastos, si es que las tienen.

La mayoría de las personas normalmente se avergonzarían de estas leves evasiones y deshonestidades, pero piensan que nadie los va a descubrir. Eso es lo que hace que nos mintamos a nosotros mismos. Todos tendemos a hacerlo. La tendencia no importa; la cuestión es si vamos a ceder. Pasa lo mismo cuando se trata de elegir estar en el flujo de la vida. Tal vez lo respetemos en teoría, pero nos sentimos tentados a elegir otra ruta. Cuando le damos prioridad al ego, alteramos la energía de la sincronía. Dante equipara este flujo con el amor de Dios y considera que esas almas sufrientes se alejaron del abrazo de Dios. Su vocabulario es diferente, pero el mensaje es en esencia el mismo.

Al leer a Dante, recuerdo el tiempo que pasé trabajando en una prisión de alta seguridad donde di clases de literatura a un grupo de ladrones, muchos de los cuales eran asesinos. Al principio pensé que solo usaría la literatura para apelar al lado bueno de estos hombres, pues seguramente yo nunca podría cometer un crimen violento. Pero poco después de haber empezado a dar clases ahí reconocí que, si no fuera por la Gracia de Dios, yo también me hubiera encontrado en una situación en que podría haber hecho algo desesperado. Yo no era distinto a ellos; era muy parecido. Simplemente no se me había puesto a prueba ni se me había tentado como se les había tentado a ellos. Por ejemplo, estos hombres de verdad entendieron el descenso de Macbeth hasta el nivel del asesinato y la locura, y su impulso a no retroceder bajo ninguna circunstancia.

Este es justo el sabor que transmite la descripción que Dante hace del Infierno. Vemos a estos pecadores sufriendo, y no es muy difícil para nosotros reconocer que nosotros también habríamos acabado como ellos. Para nosotros, los lectores, es importante reconocer las tentaciones para poder evitarlas en el futuro. Dante nos está enseñando una lección sobre nosotros mismos, si estamos dispuestos a escucharla. A medida que descendemos a nuestro interior, tenemos que aceptar estas partes anárquicas de nuestra psique como atributos que surgen inevitablemente del ego. Tenemos que reconocerlas como nuestras, pero mantenerlas bajo control. Tenemos que extender la mano, tocar el Infierno y quemarnos los dedos. Solo entonces podremos entender plenamente, en nuestro corazón, la forma en que el ego nos lleva por el mal camino. Esto es algo que no podemos hacer si solo consideramos las cosas a nivel intelectual, y es por eso que Dante nos da un poema que mueve nuestras emociones. Ceder ante estas tentaciones del ego solo puede alejarnos de la actitud centrada que nos permite estar en armonía con la sincronía.

Por ejemplo, en el Canto V encontramos un buen ejemplo de la forma en que funciona esto. Es el momento en que Dante conoce a los amantes Paolo y Francesca, y llora por su destino. Pero el poeta es magistral en sus descripciones, pues cuando las leemos notamos que Francesca solo habla de su propio pesar y de sus sentimientos sobre la forma en que ella y Paolo han sido perjudicados. En ningún momento reconoce que ella traicionó a su esposo y que Paolo traicionó a su propio hermano cuando ellos cedieron ante su pasión, lo que más tarde causó su muerte. Al leer sus palabras, podemos entender su terrible situación, y también podemos estar conscientes de que ellos se consideran libres de culpa. Sienten que son víctimas indefensas y no personas racionales que hicieron elecciones. Lo que impacta a Dante no es lo que hicieron los amantes; es su ceguera a las consecuencias morales de sus acciones. Las justificaciones del ego, como las que ellos usan, el culpar a otros por lo que en esencia es su propia situación, es algo que todos reconocemos, y lo que Dante nos muestra son realmente excusas tentadoras.

Dante insiste en este tema en varias ocasiones, y cada vez con mayor énfasis; de manera específica en el Canto XXXIII. Ahí vemos al Conde Ugolino haciendo lo mismo que Francesca, culpando a otro por su destino, excepto que en este caso cuando lo hace también ataca la parte trasera de la cabeza del Arzobispo Ruggieri, hiriéndola solo con sus dientes. Cuando hace una pausa en esta horripilante acción para poder hablar, se concentra en la crueldad con que Ruggieri lo castigó; y de hecho su destino fue cruel. Él y cuatro de sus hijos y nietos fueron encarcelados y luego abandonados; al final murieron de inanición. Lo que Ugolino no menciona es que él ya había traicionado a otro de sus nietos, y al hacerlo traicionó a su partido político y a su propia ciudad, lo que causó directamente que se debilitara su propia situación política y que él fuera encarcelado; de modo que Ugolino es en realidad responsable de la situación que acabó con la vida de todos ellos. Al justificarse, no puede, ni está dispuesto a ver su propia responsabilidad. Su ego está indignado por la forma en que él cree que se le ha ofendido, y así permanece, atrapado en su ego, en lo profundo del infierno, culpando a otros.

En una sección posterior de este libro dedicaré tiempo a examinar algunas otras formas en que podemos caer en espacios del ego que no son productivos, lugares en que podemos desviarnos del camino, como lo hicieron los desdichados personajes de Dante que están hundidos en el sufrimiento. Nuestra ventaja es que tenemos la oportunidad de salir de esos espacios. Estar advertido es estar preparado.

Si nos quedamos con Dante por un momento, descubrimos que tiene mucho más que decir sobre este descenso al interior de nosotros mismos. En el poema, Dante y Virgilio salen del Infierno después de llegar a sus niveles más profundos y abrirse camino por el otro lado de la tierra, donde todo está de cabeza. Es una metáfora maravillosa. Dante parece decir que el Infierno es precisamente lo opuesto a la forma en que podríamos decidir ver las cosas. Si solo cambiamos nuestra visión, no tendremos que ceder ante la atracción al pecado y otras cosas que torturarán nuestra mente con miserias. Aquello a lo que estamos tan apegados, lo que brinda consuelo al ego, simplemente no es importante cuando se ve desde un ángulo diferente. El Infierno no solo es un lugar; como hemos visto, también es una actitud mental.

A medida que Dante sigue adelante, deja atrás el ámbito de los hombres y el pecado, como si fuera otra dimensión, y bajo el cuidado de Beatriz, sigue la ruta hacia el Cielo y hacia la Virgen María. Ya sea que creamos o no en la visión cristiana del mundo, el proceso psíquico que Dante describe es importante. Vemos que Dante está ahora en un mundo más femenino. No solo está en el lado opuesto y ascendiendo, también está en el reino del sexo opuesto. Virgilio, el poeta, un personaje masculino, ha guiado a Dante, poeta y personaje masculino, a través del Infierno y el Purgatorio, pero Virgilio no puede llevar a Dante hasta el final de su trayecto espiritual; Beatriz, una mujer que es pura y santa, es la única que puede guiar a Dante ahora.

Para expresar esto con sencillez, la figura virginal e idealizada de Beatriz guía al poeta hacia la mujer ideal, el símbolo de una madre pura que es la Virgen María. Lo que Dante aprende después de entender la parte destructiva de sí mismo y rechazarla, dejando atrás el Infierno, es que solo entonces puede encontrar su verdadera salvación, en este mundo del sexo opuesto, de dulzura y amor. Se le aleja de un reino de castigo y se le lleva a un reino de compasión, y definitivamente un mundo de amor incondicional. Ha conocido lo opuesto a sí mismo, el *anima* femenina, usando los términos de Jung, y le ha permitido transformarlo. El lenguaje es religioso, la metáfora es universal.

Para Dante, el proceso para llegar a estar pleno y consciente a nivel espiritual incluye tener una comprensión del pecado y de sus atracciones, darse cuenta de que las buenas obras no son suficientes (en el Purgatorio), y luego al final, aceptar que uno tiene la capacidad de amar de manera incondicional. Él ama y es amado, de modo que entra en una nueva relación con Dios. Su poema es la expresión de esa relación.

Por tanto, hasta el momento, en estos dos relatos distintos, el de Dante y el del Príncipe Cinco Armas, que he elegido porque representan muchos otros relatos similares, podemos ver que descender a nuestro ser significa, ante todo, encontrar las limitaciones del mundo del ego y no ceder ante el miedo cuando vemos que el mundo que se centra en el ego no satisface nuestras necesidades. Esto significa que saldremos de nosotros mismos.

En segundo lugar, también incluye hacer un inventario moral de nosotros mismos y entender que el ego asegura que puede guiarnos hacia una vida egoísta que no es auténtica, lo que Dante nos muestra como pecado. Debemos reconocer las partes anárquicas o ingobernables de nosotros mismos y aceptar que en estos impulsos existe una energía real. Si aceptamos esos impulsos, podremos usar esa energía sin ceder ante sus aspectos destructivos. Esto significa que en lugar de responder con egoísmo, activamos la compasión que tal vez no sabíamos que teníamos, y como resultado respetamos a los seres humanos un poquito más. La compasión siempre indica que amamos a otros porque vemos que somos exactamente iguales a ellos... aunque ellos hayan avanzado más que nosotros por el camino de la destrucción. No somos diferentes.

En tercer lugar, estos relatos parecen mostrarnos que tenemos que desprendernos del deseo de estar en lo correcto para poder abrazar los aspectos más suaves de nosotros mismos que con tanta frecuencia ignoramos o descartamos. Esta cualidad es amor en su máxima expresión, y nos permite vivir confiados en el flujo de la creación o en la presencia de Dios. Desde el punto de vista de Jung, Dante tiene que conocer su *anima* y ser redimido por ella. El *anima* son los aspectos femeninos de sí mismo, representados en la bondadosa Beatriz, que siendo hombre ha tenido que reprimir. Antes de encontrarse con su *anima,* él no es un alma completa y no tiene un equilibrio total.

Para las mujeres, el trayecto es exactamente igual, pero la tarea es encontrarse con su *animus,* la energía de amor masculina que hay en su interior. El *animus* y el *anima* pueden entenderse mejor si se ven como figuras que personifican o encarnan ciertos atributos positivos que necesitamos reintegrar a nuestra vida. Nos muestran lo que tenemos que hacer. Verlos como personas reales es simplemente una forma conveniente de visualizar un proceso psíquico.

"El Hábil Cazador" es un relato de los hermanos Grimm que ofrece un buen ejemplo de esto. En el relato, el cazador se las arregla para entrar sin ser visto a un castillo en medio de la noche, pues planea secuestrar a la princesa que está dormida. Fuera del castillo hay tres gigantes enormes que son totalmente inmorales. Están esperando que el cazador cometa su maléfica acción. Es una escena que nos recuerda el descenso a las oscuras regiones de la Sombra, con sus pasiones desenfrenadas. Pero el cazador ve la inocencia y la belleza de la princesa y decide matar a los tres gigantes usando una espada mágica que encontró en el castillo. Luego se aleja sin decirle a nadie lo que ha hecho. Solo se lleva la espada, una zapatilla, una bufanda y un trozo del camisón de dormir de la princesa.

La princesa, en su estado vulnerable, podía ser una inmensa tentación para este hombre que está tan familiarizado con la cacería y la matanza. Por fortuna para él, se conmueve cuando ve a la princesa y cuando reconoce que las emociones de ternura que evoca esta figura del *anima* son una parte vital de su vida, se convierte a una vida de moralidad. Decide controlar sus impulsos desenfrenados y usar el poder que encuentra en ellos, simbolizado por la espada, para derrotar la maldad, en lugar de buscar la gratificación del ego. Este hombre, que mata animales, enfrenta tentaciones que lo invitan a cometer crímenes aún más graves, pero en lugar de ceder ante ellas, solo usa su habilidad como cazador para hacer lo que considera correcto. Este relato, elegante y breve, refleja con precisión el proceso psíquico que estamos analizando aquí. Los objetos específicos que el cazador decide llevarse del castillo ahora le sirven para recordar la vida moral que debe llevar a partir de ese momento.

Durante el periodo en que trabajé en las prisiones de Massachusetts, vi ejemplos de acciones similares. Los convictos reincidentes entrados en años a veces dedicaban parte de su tiempo a enseñarles a los más jóvenes a sobrevivir. Les decían qué evitar y les ayudaban a participar en programas educativos o en cursos de rehabilitación; además, estaban pendientes de ellos para que pudieran cumplir su condena sin meterse en peores dificultades. No siempre lo lograban, pero cuando sí lo lograban, el proceso transformaba tanto a los convictos de edad como a los jóvenes.

El *animus* y el *anima* son conceptos difíciles de comprender para la mayoría de nosotros, hasta que nos damos cuenta de que en la vida real a menudo conocemos personas que tienen cualidades admirables. Cuando lo hacemos, podríamos decidir ser un poco más parecidos a ellas en cierta forma. Podríamos conocer a muchas personas como estas y podrían inspirarnos, y como resultado, en cada caso experimentamos el crecimiento de nuestros aspectos del *anima* o del *animus*. De manera similar, podríamos conocer personas que son frágiles e inocentes, y esto podría despertar nuestras cualidades compasivas cuando respondemos a su naturaleza confiada y libre de sospechas. El resultado es que nos volvemos más confiados y amigables. En los sueños, sin embargo, el proceso puede llegar a simplificarse radicalmente y concentrarse en un encuentro con una sola persona; la literatura tiende a hacer lo mismo.

Todo esto es excelente como un mapa moral generalizado, pero no todos tenemos la oportunidad de que alguien nos guie a través del Infierno, del Purgatorio y del Paraíso. Entonces, ¿cómo podemos realizar este descenso épico al interior de nosotros mismos para descubrir quiénes somos en realidad? ¿Cómo aprenderemos el amor incondicional? ¿Cómo se aplica el relato mítico de Dante a nuestra vida?

Una mujer lo expresó a su manera cuando se encontraba en la sincronía de una carrera floreciente a los 60 años de edad. Dijo que sabía que ahora tenía cosas buenas que podía transmitirle al mundo; cosas a las que simplemente no había tenido acceso cuando tenía veinte o treinta años de edad. Dijo que "a los treinta años había vivido en las trincheras", y que esta experiencia de tinieblas, de dificultades y de incertidumbre, era lo que le daba ahora el impulso para llevar a cabo el trabajo que sentía que estaba llamada a hacer. Se había enfrentado prácticamente a todo lo que sentía que el mundo podría lanzarle y había sobrevivido, y ahora estaba consciente de su fuerza.

Esa es una descripción bastante buena del descenso al interior de uno mismo y del resurgir a la vida. No siempre tiene que ser tan difícil como al parecer fue su descenso. Estar "en las trincheras" nos hace pensar en los horrores de la Primera Guerra Mundial. Pero podemos aprender de esta mujer y de Dante.

Bueno, en este momento podrías estar pensando que esto parece bastante aterrador, que te voy a obligar a entrar a lo profundo de un lugar espantoso que te hará sentir como si estuvieras en una prueba de fuego. Pero quiero asegurarte que no será así. Existe una razón directa para esto: no tendremos que entrar ahí porque es muy probable que tú ya hayas visitado ese lugar. Algunos de ustedes lo saben. Tal vez han pasado a través de sucesos que amenazan la vida, de enfermedades, tragedias, desastres, milagros. Saben que han tenido algunas experiencias extrañas. Pero tal vez otros entre ustedes no lo saben porque los sucesos podrían parecer ordinarios. Voy a mostrarles que en esos sucesos dramáticos no hay nada "ordinario". Todos ellos tienen la capacidad de hacer que nos abramos para ver lo que necesitamos ver.

Algunas personas solo podrán abrirse para llegar a ser más capaces de amar cuando viven experiencias que literalmente las "hacen pedazos". Otras se abren en una forma más suave, como una flor que se abre con la luz del sol.

Por fortuna, abrirnos es mucho menos complicado de lo que sugiere el poema de Dante; siempre y cuando estemos conscientes de lo que está sucediendo. Esa es la clave. Significa ver nuestra experiencia humana como un reflejo de algo eterno.

Por tanto, quiero dar un ejemplo de la vida diaria que nos habla de la forma en que descendemos a nosotros mismos. Cuando estamos profundamente enamorados, podríamos descubrir profundos anhelos y necesidades, y una ternura que no sabíamos que teníamos; y cuando tenemos que luchar para conquistar el afecto de una pareja podríamos descubrir niveles profundos de valentía a los que nunca antes supimos que teníamos acceso. Los hombres podrían descubrir por primera vez que tienen verdadera ternura; y las mujeres podrían descubrir que pueden ser más poderosas de lo que creían que les era permitido. Tal vez estos son ejemplos estereotípicos de lo que sucede, pero describen lo que puede pasar cuando hombres y mujeres descubren al *animus* o al *anima*.

No es accidental que Dante, el poeta de la mundana Florencia, haya elegido a Beatriz como su guía hacia el Cielo, ella es una mujer que él amaba desde lejos en forma no sexual e idealizada. El amor terreno es solo una reflexión vaga del amor de Dios, como lo describe Dante. Es una situación similar al hecho de enamorarnos de alguien y si estamos alerta, podríamos empezar a ver la santidad que siempre está presente en estas uniones imperfectas. Honrar esa santidad es lo que cambia la experiencia y la convierte en sabiduría auténtica.

De hecho, ponernos en contacto con nuestro Yo Sombrío, y luego con el *anima* o el *animus*, es un componente esencial de enamorarse. Elegir el compañero o compañera para la vida implica una elección real, una decisión genuina para entregar la libertad, el no tener vínculos, al deseo de tener una conexión. Implica aceptar ciertos aspectos del ego, renunciar a ellos, y acercarse a otros aspectos de nosotros mismos que son más amorosos. Por lo general, después de este patrón se presenta el cambio psicológico. Nos enteramos que no se trata de nosotros en absoluto, que somos parte de algo más grande. El cambio de énfasis de "yo" a "la relación" es enorme, y se generan muchas luchas cuando un miembro de la pareja pone al "yo" antes que el "nosotros".

Aunque nuestra vida amorosa no sea perfecta, hay a nuestro alcance ejemplos aún más poderosos de este proceso. La mayoría de las personas aprenden importantes lecciones de vida cuando se enamoran de sus hijos pequeños o aprenden a cuidar de otras personas que necesitan su ayuda. Un hombre corpulento y muy macho podría conmoverse ante la inesperada ternura y fragilidad inocente de su hijo, o ante la fragilidad de su padre anciano. En ese momento, está en contacto con algunos de los elementos que tal vez ha tenido que reprimir durante su vida cotidiana; es la ternura que él tal vez no puede mostrar en el área de trabajo, o al amor cálido que sus colegas, normalmente joviales, podrían considerar una muestra de sentimentalismo. Ahora está en contacto con la naturaleza inocente y amorosa que hay en sí mismo en este momento, el *anima*.

De manera similar, una mujer podría descubrir, al cuidar de sus hijos, las reservas de energía y determinación que tal vez ha hecho a un lado al responder a lo que las normas sociales "esperan" que sea una mujer. Ella puede ponerse en contacto con su determinación y su sentido práctico, el *animus* o componente masculino de sí misma que se le ha exigido que reprima. Esto, o cualquier suceso como este, puede ser el estímulo que hace que los hombres y las mujeres reconozcan los valores positivos de las cualidades que son opuestas a las que normalmente se les pide que muestren, y al ponerse en contacto con esas cualidades, crecen como personas. Es como si a alguien que fue obligado a vivir con una mano atada, de pronto se le permitiera aceptar que la otra mano existe y puede usarse.

Pero lo que estamos considerando llega a niveles incluso más profundos. Ocurre cuando una madre agotada se da cuenta de que probablemente daría la vida por su hijo si fuera necesario. Ocurre cuando un hombre entiende que lucharía a muerte para salvar a su familia. No tiene que hacerlo, solo tiene que saber que estaría dispuesto a elegir esa opción.

Si queremos otro ejemplo de esto, pensemos en las madres solteras del mundo que aceptan la heroica tarea de educar a sus hijos solas, haciendo el papel del padre y de la madre, y lograrlo con éxito. En esas circunstancias, estas mujeres tienen la oportunidad de encontrar el equilibrio entre lo masculino y lo femenino, entre el *animus* y el *anima*, y no es una tarea fácil ni una acción que deba hacerse una sola vez. Debe mantenerse en pie y llevarse a cabo durante años. En términos de arquetipos, estamos ante el equilibrio del arquetipo del Guerrero Enamorado.

Por supuesto, nunca es suficiente el solo enamorarse de un hijo pequeño. Eso es relativamente fácil. Aquí el problema es amar a ese hijo a lo largo de una vida, a pesar de las dificultades, los pleitos y los malentendidos. La experiencia de la paternidad o la maternidad hace que la persona adulta vuelva a estar en contacto con las dificultades de su propia infancia, y con los temores, las necesidades y la tristeza que había ocultado y reprimido. Enfrentar estos problemas y al mismo tiempo esforzarse por ser el mejor padre o la mejor madre posible, es una forma de descender para encontrarse con el Ser Sombrío. Lo que descubrimos como padres o madres es lo difícil que puede ser esa tarea. En esos momentos se nos ofrece la oportunidad de comprender a nuestros propios padres y sus luchas, quizás por primera vez. Cuando los vemos en esta forma, como seres humanos frágiles que pueden cometer errores, el resentimiento se transforma en compasión y en amor. Ellos estaban haciendo su mejor esfuerzo con lo que sabían en ese momento; eran cariñosos a su manera, aunque fuera una manera extraña. Vemos el corazón amoroso en el interior del monstruo Cabello Pegajoso.

El concepto de *animus* y *anima* que nos presenta Jung se basa en las imágenes que sus clientes ofrecían de manera espontánea, y que, como veremos, se reflejan incontables veces en los mitos y en la literatura. Así como el aterrador aspecto externo de Cabello Pegajoso escondía el amor que había en su interior, los atributos estereotipados de lo masculino y lo femenino, del *animus* y el *anima*, revelan el interior amoroso de cada ser humano: estos dos conceptos son, en esencia, una misma comprensión. Lo que cada persona debe hacer es tener acceso a su valentía y a su sentido de compasión; ambos son impulsados por el amor, y son acciones que son distintas en cada persona.

Animus y *anima* son términos psicológicos que encajan en la persona "típica", y debido a eso pierden claridad. Quizás la mejor forma de describirlos sería verlos como aspectos de lo que podríamos llamar el "no-ego". Cuando renunciamos al ego, nos ponemos en contacto con esa parte de nosotros mismos que nos conecta con las demás personas. El solo hecho de enamorarnos, de tener hijos o de cuidar de otros no es suficiente; lo importante es ser capaces de ver el significado profundo del hecho, cambiar debido a ello y recordar que estas lecciones son básicamente lecciones de cómo ser seres humanos más amorosos; lecciones que necesitan recordarse a diario y en todas circunstancias.

Estas lecciones podrían parecer ordinarias, pero lo importante aquí es ver que no lo son. Tienen un significado mítico, pues son puntos a partir de los cuales el alma puede crecer. Podemos entender esto observando la forma opuesta a este estilo de vida. Solo piensa en el cliché del hombre que evita los compromisos, que huye de las relaciones sólidas o de la posibilidad de tener una familia. Tendríamos que decir que una persona así está aterrorizada; por eso huye (y lo hacen tanto los hombres como las mujeres). Comprometerse en una relación significa que la persona es vulnerable, y superar el miedo una y otra vez es solo un componente de la vida cotidiana. Esto implica asumir responsabilidades, estar abierto a la pareja, desafiarla, ser honesto con uno mismo y además responder a las demandas del mundo exterior. Para hacerlo es necesario ser muy valiente. Esto nos lleva a los límites, a nuestro punto álgido. A lo largo de cualquier relación de compromiso, encontraremos situaciones serias y llegaremos a nuestros límites; sentiremos desesperación y nos veremos tentados a darnos por vencidos y a huir. Esto es un descenso al Infierno. Y podemos crecer a partir de esa experiencia.

Tal vez Winston Churchill lo expresó mejor con esta afirmación maravillosamente lacónica: "Si estás pasando por el Infierno, no te detengas".

Una de las cosas que estaremos haciendo en las siguientes páginas es dedicar tiempo a evaluar las trampas en las que podemos caer, y que Dante ilustra para nosotros con los pecadores del Infierno, para que no tengamos que cometer errores que vienen del ego. Para esto también es necesario reconocer que esos errores no están "allá fuera", sino en nuestro interior. Nos daremos cuenta de que las observaciones de Dante también se aplican a nosotros. Tendremos que hacer el descenso a nosotros mismos, hacer el ego a un lado, hacer un inventario moral de nosotros mismos, y luego ponernos en contacto con la parte opuesta, nuestro no-ego, para poder activar las habilidades del ser completo. Esa es la manera de encontrarnos en el flujo, en el espacio de la sincronía.

El aspecto mitológico

Como una evidencia que apoya lo que he estado diciendo sobre el poder redentor de los hijos, podemos referirnos a los grandes mitos y leyendas de nuestra civilización. La llegada de los hijos se ha considerado a lo largo de incontables generaciones como el inicio de un proceso que implica abrir el corazón. Tal vez la versión más sorprendente es la idea del Nacimiento Virginal. Esta no es solo una idea cristiana, también estaba presente en la mitología griega. Atenea, la diosa cerebral, brotó formada de un lado de la cabeza de Zeus, en una versión especialmente poderosa del Nacimiento Virginal. Incluso antes de que los griegos adoptaran esta idea, había aparecido en la mitología egipcia en el hecho de que Isis concibió un hijo del cuerpo muerto y momificado de Osiris; una variante interesante del tema del nacimiento milagroso. Los relatos de la creación de los amerindios tienen muchas variantes del Nacimiento Virginal.[2]

Si tomamos el Nacimiento Virginal como un hecho, estamos en un espacio de una biología muy extraña; pero si lo vemos como una metáfora puede decirnos algo sobre lo que somos. El Nacimiento Virginal, donde la energía de Dios impregna a una mujer pura, puede verse como una metáfora del nacimiento interno que nos espera a cada uno de nosotros cuando nos alineamos con la energía divina y permitimos que sea el combustible que impulsa nuestro lado más amoroso. Cuando permitimos que lo divino entre a nuestra vida, renacemos espiritualmente desde el interior.

Esto es una metáfora, pero apoya la experiencia de lo que sucede cuando un hombre se transforma en una fuerza profunda y amorosa al nacer su hijo: la madre y el niño se ven como algo más milagroso de lo que el hombre habría podido creer posible antes. No tienes que ir muy lejos para ver esto. Solo espera a que alguien que conoces tenga un hijo y observa lo que parece estar sucediendo físicamente en el interior de sus padres. Observa, y verás que los padres del recién nacido están asombrados ante lo que han llegado a ser. Podrías atribuirlo a lo dramático del suceso, al sentido de responsabilidad que implica o a muchas otras razones. Pero estoy dispuesto a apostar que el mito se está viviendo ante tus ojos. Se están abriendo los corazones.

El Nacimiento Virginal es una metáfora de la pureza que nace en nuestro interior cuando aprendemos a sentir amor y hacer a un lado el ego. Rumi, el poeta persa, usa la idea con elocuencia. Tal vez es sorprendente que un sufí del siglo XIII, en su poema "Alma, Corazón y Cuerpo una Mañana", use una referencia específicamente cristiana ("María, milagrosamente encinta") para describir ese momento de cambio maravilloso que puede inundarnos a cada uno de nosotros. Pero sus oyentes habrían entendido justo lo que él quería decir:

> Hay una mañana en que la presencia llega a ti
> y cantas como un gallo en tu forma del color de la tierra.
> Tu corazón escucha y ya no está agitado, empieza
> a bailar. En ese momento, el alma llega a un estado de vacío total.

Tu corazón se transforma en María
milagrosamente encinta, y el cuerpo, como un Jesús
de dos días de nacido, habla palabras de sabiduría.[3]

"Su presencia llega a ti", dice el poeta. Está describiendo lo que ocurre cuando nos alineamos con el poder de Dios o del Universo y ocurren milagros en nuestra capacidad consciente, en nuestra vida. La sincronía se abre a nosotros; decimos palabras milagrosas como el Jesús de dos días de nacido, pues estamos llenos de trascendencia.

Cuando ocurren momentos de trascendencia, su extrañeza podría atemorizarnos. Podríamos tratar de huir. Podríamos negar que ocurren. Pero el poeta nos dice que no hay nada que temer, que el corazón ya no está agitado; y permitimos que se reconozca lo que es santo. Estos son buenos consejos para cualquier persona, en especial para el hombre que lleva a su hijo en los brazos.

Y esto es lo interesante. El mito no predice lo que alguien va a sentir. Cuando aparece en esta forma, en la poesía, ofrece un marco de referencia que apoya a las personas en sus sentimientos y de hecho da validez a los procesos por los que están pasando, y que en otras circunstancias sería desconcertante. El mito nos ayuda a prestar atención a lo que sentimos, de modo que sepamos que lo estamos sintiendo y podamos valorarlo. Nos da un marco de referencia en el que nuestras experiencias tengan significado.

9

Mito y literatura

Formas antiguas del descenso y su valor para nosotros

Es probable que el concepto del descenso al inframundo sea tan antiguo como la mitología en sí, y está presente en casi todas las culturas de una u otra forma. Ya hemos considerado el mito de la diosa Inanna, pero hay otra versión de esta historia que se conoce más ampliamente y que es casi tan antigua como el mito de Inanna. Se trata de la historia de Hades y Perséfone.

Un día, Hades, el dios del inframundo ve a Perséfone caminando por ahí y rapta a esta hermosa doncella llevándosela a su reino. Deméter, la madre de la joven, que es la diosa de las cosechas, está tan enojada que se niega a hacer crecer las cosechas y los frutos de la tierra, hasta que finalmente se las arregla para rescatar a su hija. Sin embargo, a Perséfone se le permite pasar solo parte del año en la superficie, porque la engañaron y la hicieron comerse una granada y algunas semillas que se quedaron en sus dientes. Algunas leyendas dicen que fueron cuatro, algunas dicen que fueron seis, y corresponden al número de meses que ella tiene que regresar al inframundo cada año, y por lo tanto al periodo en que la tierra debe permanecer estéril.

Esto se relaciona directamente con los diferentes climas y con el periodo en que la tierra es productiva. Es obvio que las semillas que están en sus dientes son algo que por derecho pertenecen a la tierra, que deberían estar bajo tierra, así que el simbolismo es apropiado.

Si este mito fuera solo un relato para explicar por qué hay estaciones en la Tierra, sería útil. Pero también incluye ciertos atributos adicionales que son importantes y que se relacionan con entender que la Tierra tiene estaciones fructíferas y estaciones estériles, y que incluso cuando los campos están estériles algo importante está pasando en la tierra, ya que la muerte en una estación lleva a la nueva vida que brotará después. Por lo tanto, representa el ciclo de la vida y la muerte, y la renovación que afecta a las fuentes de alimentación, y también nos dice que somos parte de este ciclo. De hecho, dice que existe un Ritmo Divino con el que debemos armonizarnos si queremos ser parte del plan cósmico. Por lo tanto, señala una forma básica de sincronía.

No obstante, este es solo un nivel superficial, porque el mito de hecho cita que como este es el ciclo de la renovación, si queremos renovarnos espiritualmente también necesitaremos regresar a las profundidades, a la fuente, y encontrar lo que hay ahí, para que podamos renacer.

Si a esto añadimos el hecho significativo de que Perséfone es mujer y de que el Oráculo de Delfos estaba bajo el control de sacerdotisas, nos damos cuenta de que el descenso incluye el encuentro con una poderosa figura femenina que está en contacto con el camino futuro, una profetisa. En la vida cotidiana de la antigua Grecia, las mujeres no se tenían en muy alta estima, lo único importante era su papel como sacerdotisas, y el puesto de la sacerdotisa de

Delfos (conocida como la Pitia o Pitonisa) era uno de los puestos más altos. La mujer que recibía el oráculo se sentaba en el santuario interior del templo, en el suelo había una fisura desde donde brotaban vapores subterráneos. Intoxicada por estos vapores, la Pitonisa profetizaba. Los gobernantes la consultaban con respeto cuando necesitaban la guía de los dioses. Pero antes de que los hombres pudieran llegar al santuario, tenían que pasar frente a varios monumentos conmemorativos que honraban el poder de los dioses que concedían a los seres humanos el éxito o la victoria. Era un trayecto diseñado para humillar al ego.

Por tanto, el templo del oráculo de Delfos nos presenta una imagen física de la penetración al reino misterioso del inframundo, donde la persona encuentra una extraña figura femenina, y el regreso posterior al mundo ordinario con el mensaje que ella le ha transmitido. No podríamos pedir una metáfora más clara.

Todo este proceso se refleja en los antiguos y ultrasecretos Misterios Eleusinos, de los que sabemos muy poco. Si esto parece difícil de entender, recuerda que los Misterios Eleusinos fueron una poderosa religión en el Mediterráneo durante dos mil años, antes de que llegara el cristianismo y los desplazara. Estos misterios eran mitos que estuvieron vigentes durante mucho tiempo y que la gente consideraba vitales.[1]

Lo que sí sabemos es que había dos niveles de participación en las ceremonias y en el nivel más alto el iniciado entraba a un lugar oscuro y se encontraba con sacerdotes vestidos como figuras diversas que incluían a Perséfone y a Plutón, como representaciones obvias del inframundo, y luego se presentaba Hércules, ataviado con ropa de mujer. Esto parece reforzar el tema que hemos estado considerando y que vincula el equilibrio entre lo masculino y lo femenino, y el equilibrio entre el *animus* y el *anima*. Esto es importante porque los iniciados habrían sido hombres y mujeres, así que la sola figura de un *anima* no habría sido suficiente.

Las siguientes figuras que se encontraban en esta ceremonia eran Cástor y Pólux, los gemelos mitológicos; uno era inmortal y el otro no. Por tanto, hasta el momento, los iniciados se habían enfrentado a representaciones que hacían que reconsideraran la polarización de los opuestos sexuales de masculino y femenino, y luego con las realidades divinas opuestas de seres mortales e inmortales. Parece claro que se les pedía que se vieran como parte de esta continuidad y no solo como una u otra de un par de realidades opuestas. Cada uno de nosotros es una mezcla de atributos masculinos y femeninos, y una combinación de una conciencia inmortal y una forma física definitivamente mortal. Al salir de esta etapa, los iniciados se encontraban con la figura de Apolo, cuya música era un eco de la música de las esferas. Por supuesto, la música tiene que ver con el tiempo y el ritmo, y en estas circunstancias sugiere los ritmos y las sincronías divinas. Por tanto, la ceremonia representaba una verdad psíquica profunda de renacimiento personal que es exactamente igual a lo que hemos estando comentando aquí, que lleva a la unión con la divinidad.

En cada caso que hemos visto, hay cierta clase de descenso, hay un encuentro con el *anima* o el *animus*, y un trayecto de regreso. Este es el patrón básico.

Si recordamos por un momento las historias del Rey Alfredo, de Tamerlán y de Robert the Bruce que mencioné al principio de este libro, veremos el esbozo del mismo mito. En cada historia un rey se ve hundido en la desesperación y él se pone en contacto con la naturaleza en su forma más humilde: una hormiga, una araña, una mujer pobre cocinando tartas de avena. A partir de estos encuentros, cada uno de estos reyes obtiene inspiración y se renueva; entra en acción y al hacerlo logra el resultado deseado. Cada relato se relaciona con el descenso al yo. Cada relato es una metáfora sobre la necesidad de ponernos en contacto con el *anima*, y a través de ese encuentro experimentar el ritmo divino, pues eso es lo único que los lleva al éxito. Cada relato es una historia en la que se encuentra la sincronía.

Una vez que empezamos a estar conscientes de este mito, vemos que aparece por todas partes. Eso indica claramente que este mito es una de las estructuras profundas de la psique y que se nos ha revelado a través de historias y mitos a lo largo de miles de años.[2] Los antiguos griegos señalaron la diferencia entre el concepto del descenso a las profundidades y el concepto de simplemente visitar a los muertos. La razón de esto es que cada suceso nos dice que podemos aprender verdades profundas sobre nosotros mismos en dos formas diferentes. Podemos aprender con el método difícil, a través de una inmersión total, o con el método fácil. La elección depende de nosotros. Pero no podemos llegar a la sincronía sin haber aprendido esa lección.

Quizás todo esto parece un tanto teórico, así que te daré algunas evidencias concretas para respaldar esta afirmación sobre el descenso al yo. A lo largo de milenios, la literatura nos ha ayudado a explicarnos lo que somos. Por eso ha sobrevivido. Y la literatura con frecuencia se refiere al descenso al yo, pero nosotros no siempre lo vemos.

Yo creía que sabía todo lo relacionado con este aspecto de la literatura hasta que viví mi propio descenso a las tinieblas del yo. En esa época estaba trabajando con adolescentes perturbados en Inglaterra, en una residencia experimental maravillosa que ya no existe. Era un trabajo extraordinario, muy desgastante, y yo no estaba preparado para hacerlo. Resulta que me enfermé. Mi mente no estaba dispuesta a aceptar que me había involucrado con algo que era demasiado para mí, así que mi cuerpo tuvo que decírmelo. Tuve un problema relacionado con los pulmones y me puse tan mal que estuve a punto de morir. Mi ego quería que yo tuviera éxito y estaba dispuesto a matarme para impedir que me diera cuenta de que ese tipo de trabajo, en esas circunstancias, era demasiado para mí. Cuando empecé a ver lo que me estaba haciendo a mí mismo, supe que me estaba enfrentando a mis límites y que lo mejor era respetarlos. El ego tuvo que retroceder. Yo era como un corredor de media distancia que trata de correr un maratón. Sencillamente, no estaba capacitado para ello.

Tardé meses de enfermedad, sufrimiento, duda y miedo para llegar a esta simple conclusión. Años después descubrí que los pulmones, en la medicina china, son la sede del pesar. Esto era completamente congruente con mi trayecto espiritual. El negarme a aceptar que había cometido un error, mi insistencia persistente en querer ser un éxito en una carrera de ese tipo, mi orgullo, son cosas que tuvieron mucho que ver con el profundo pesar que sentí cuando pensé que mi padre no podía ver lo que yo era en realidad. Mi ego herido estaba en duelo por una relación que no se logró.

Recuperé la salud porque en mi desesperación fui a ver a un acupunturista. La clínica me aceptó y después de una semana había mejorado mucho. La medicina convencional me había fallado, pero para la medicina que trabaja con energía no fue difícil restaurar mi salud. Estaba asombrado, pues en la década de 1980 la acupuntura no se consideraba respetable en Inglaterra. Esto significó que tuve que repensar mi relación con la medicina y también mi relación con mi cuerpo. Casi al final del tratamiento, la Sra. Williamson, que era la adorable dama que estaba trabajando conmigo, dijo: "Solo hemos tenido a una persona que estaba más enferma que tú cuando llegó. También sobrevivió".

Estuve a punto de morir.

En ese momento yo no sabía lo que estaba pasando. Ahora puedo ver que había pasado por el descenso. Me había encontrado con mi enojo, mi tristeza, mis limitaciones, y me había dado cuenta de que a pesar de todo quería vivir. La medicina convencional no funcionó, así que, como Dante, al descubrir que el Infierno estaba de cabeza cuando salió de él para entrar al Purgatorio, tuve que entrar en una nueva dimensión de pensamiento y de ser. En el proceso, abrí de par en par mi alma blindada.

No hay lecciones difíciles; solo hay formas difíciles de aprenderlas.

Años más tarde, entendí que este tipo de experiencia del alma está en el fondo de casi todas las grandes obras literarias, y también de algunas obras literarias de mala calidad. El protagonista enfrenta pruebas y tiene que aprender algunas cosas, algunas lecciones humanas vitales, sobre el amor a sí mismo y el amor a otros. Creo que si hubiera sabido esto en ese entonces, me habría evitado mucha tristeza, desesperación, vergüenza, y no habría perdido tanto tiempo. La experiencia estaba ahí, descrita en muchos episodios de las páginas de estas obras literarias, pero yo no había sido capaz de verla. Ahora puedo ver que estos grandes libros que creí conocer tan bien tenían un mensaje que, en mi orgullo, había sido incapaz de ver. Necesitaba familiarizarme con mis energías negativas para que no gobernaran mi vida, y necesitaba encontrar mi *anima,* para poder amar a otros con mayor plenitud. A pesar de lo dolorosa que fue, esta resultó ser una de las lecciones más benéficas de mi vida.

No existe una forma específica de vivir esta experiencia, no existe un camino "oficial" para seguir adelante. Los mitos y las obras literarias a menudo dicen cosas similares en diferentes formas. A veces lo hacen con tanta delicadeza que difícilmente nos damos cuenta de lo que está pasando, hasta que nos detenemos a pensarlo. Veamos entonces algunos ejemplos de la forma en que los hombres y las mujeres conocen su *animus* y su *anima.*

Como ya hemos visto a Dante, ahora podríamos continuar con uno de los escritores más famosos de todos los tiempos: Shakespeare. En sus grandes comedias, donde hay cambios de papeles, la protagonista se viste como hombre para enseñarle al hombre que ama cómo debería amarla; es decir, en una forma más sensible. Este es el tema principal de *Como gustéis* (en inglés, *As You Like It*), *Noche de reyes* o *La duodécima noche* (en inglés, *The Twelfth Night)* y *El mercader de Venecia* (en inglés, *The Merchant of Venice*). En forma diferente, también está presente en *Bien está lo que bien acaba* (*All's Well That Ends Well* en inglés), donde Helena logra civilizar a todos, excepto a su esposo. Las mujeres se convierten en hombres para tener acceso a su propia fuerza y para educar a los hombres de modo que sean más sensibles con las mujeres. En el proceso, se activa el *animus* y el *anima*. Pero eso no sucede sino hasta que los hombres se sienten frustrados, desesperados e incapaces de seguir adelante con sus planes egoístas. Tienen que languidecer en su propia versión del infierno durante cierto tiempo. Solo entonces empiezan a escuchar.

Aunque este tema se usa como una estrategia conveniente en las comedias románticas, el efecto general es que el hombre tiene que aprender a moderar su forma de conquistar a la mujer que le atrae. Con frecuencia, solo la ve como una figura abstracta idealizada, y con esa actitud mental inicia su asedio masculino hacia el corazón de la mujer en una forma que es un cliché de las costumbres de la época. Pero tiene que aprender a participar en un diálogo con ella, a escucharla, a aprender de ella y a desprenderse de sus posturas machistas. Sin embargo, no podrá hacerlo sino hasta que llega a un momento de desesperación. Solo podrá conquistarla cuando se aleje de su antiguo ser egoísta; y solo cuando esto pasa, podrá ella deshacerse de su disfraz protector, de lo que le impide ser una verdadera mujer.

Ahora bien, podríamos decidir ver esto como la forma en que Shakespeare aborda los conceptos sociales sobre lo que es masculino y lo que es femenino en los estereotipos de su época. Y sería verdad. Pero también podemos notar que está señalando que este es un paso vital que deben dar los hombres y las mujeres para poner un buen cimiento de conciencia de sí mismos sobre el cual construir una vida juntos. De hecho, parece decir que a menos que los hombres tengan acceso a su lado femenino, y que las mujeres tengan acceso a su lado masculino, no es probable que tengan un futuro feliz; pero solo podrán hacer esto cuando se les obliga a desprenderse de los roles con los que están familiarizados, cuando la vida los desilusiona y los lanza a la desesperación. Tal vez quisiéramos señalar que Shakespeare escribió 300 años antes de que Jung formulara sus explicaciones psicológicas.

Si necesitáramos más ilustraciones de esto, solo tendríamos que considerar las tragedias de Shakespeare. Tienen muchas características, pero una de las más notorias y directas es que cuando los hombres y las mujeres no se escuchan o se polarizan, ocurren desastres. El Rey Lear no escucha a ninguna de sus hijas, luego destierra a la que habla del amor puro y verdadero, y en esa forma las destruye a ambas. Hamlet rechaza a Ofelia, una mujer débil de carácter, y rechaza a su madre que es todavía más débil; y los tres acaban muertos. Bruto no está dispuesto a escuchar a nadie, mucho menos a su esposa, así que acaba tan derrotado como César, que tampoco estaba dispuesto a escuchar a nadie, y en definitiva no estaba dispuesto a escuchar los consejos proféticos de su esposa. Por el contrario, Macbeth sí escucha a su esposa, pero ella está tratando de convencerlo de que no podrá ser un hombre verdadero a menos que mate al rey. Esto es una parodia de la comprensión real de lo que debería ser un hombre. Lady Macbeth ha tenido que obligarse a sí misma a creer en esta nefasta parodia de la hombría, luego usa el chantaje sexual para obligar a su esposo a hacer lo que ella quiere. Los dos sexos están en desequilibrio, y en lugar de humanizarse y moderarse uno al otro, se lanzan a una psicosis asesina.

Podríamos seguir con esta lista si revisáramos las tragedias de Shakespeare, pues esto está presente en todas ellas. Lo que necesitamos notar aquí es que Shakespeare pudo ver la importancia de este descenso al yo, y entendió que debemos encontrar en nosotros mismos los valores reprimidos del sexo opuesto para que podamos aprender de ellos e incorporarlos a nuestra forma de pensar. Después debemos permanecer en contacto con lo que hemos aprendido y tenerlo presente a lo largo de nuestra vida (de la misma manera en que permaneceríamos cerca de un cónyuge). El dato vital es que solo llegaremos a conocer lo opuesto a nosotros mismos cuando hayamos descendido a la zona de impotencia y negrura espiritual, en la que tendremos que empezar a escuchar porque ya hemos intentado todo lo demás.

Esto se refleja en los procesos psicológicos reales que podemos ver a nuestro alrededor. Muchas personas con las que he trabajado como asesor empezaron a reconstruir su vida hecha pedazos solo porque todo lo que amaban hasta ese momento, los acuerdos y el sentido de propósito de acuerdo a los cuales habían vivido, les habían fallado. A veces una catástrofe puede tener buenos resultados. Lo sé, yo lo he vivido.

Shakespeare señala esto en las comedias que ya hemos mencionado y también en su última obra teatral, *La tempestad*. En ella, Próspero, anciano y en el exilio, se ve obligado a ver sus fracasos, y en su aislamiento se humaniza a través de Miranda, su hija inocente (que ciertamente es una figura del *anima*). Al final, cuando quienes lo exiliaron se presentan en su isla, él tiene que luchar contra su deseo de venganza. La compasión triunfa y al final entrega el control de la isla renunciando a su magia. Cuando lo hace, y no antes, ocurren los sucesos en sincronía que hacen que la historia llegue a su fin con armonía. Cuando nos desprendemos de nuestros deseos del ego, cuando dejamos de intentar controlar las cosas y abrimos nuestro corazón al amor y a la compasión, las fuerzas de la sincronía asumen el poder.

Este es un patrón que Shakespeare repitió con éxito en *La duodécima noche, Como gustéis* y *Bien está lo que bien acaba.* En cada caso, la trama llega a un punto en que los seres humanos involucrados en ella no pueden resolver sus problemas, y entonces los problemas se resuelven por sí mismos en forma milagrosa. Lo interesante es que no todos los personajes están de acuerdo con estas soluciones. Malvolio, Beltrán y Jaques rechazan estos finales felices. Algunas personas siempre estarán ciegas a la sincronía.

El problema es que cuando usamos las obras de Shakespeare como punto de comparación, en especial esas comedias, encontramos que dependen de circunstancias muy específicas para hacer que los personajes aprendan sobre la vida. ¿Qué sucede si no encontramos a alguien que nos instruya? ¿Qué sucede si la persona que nos atrae y tal vez la persona con quien estamos casados, nunca ha vivido este difícil descenso al yo, y por lo tanto es tan ignorante como nosotros en lo que respecta a la necesidad de hacer ese descenso?

Al parecer, la respuesta es que nada es gratis. Quienes no encuentran un compañero digno con el que puedan navegar por estas aguas tormentosas, tendrán que hacer el viaje de todos modos. Porque siempre hay dos niveles en las relaciones amorosas. El primero es el nivel del cuerpo y el segundo es el nivel del espíritu; aquí estamos hablando del segundo nivel. Si en un matrimonio no se dispone de un componente espiritual, la pareja se separará, y en la tristeza que resulta, ellos podrían encontrar la oportunidad de aventurarse al descenso hacia sí mismos. Algunas personas luchan contra esto, tal vez usando el alcohol, las drogas o comportamientos compulsivos para alejar de ellos el vacío. Pero el vacío siempre está ahí, esperando que la persona se haga cargo de él.

Por eso necesitamos el arte. La sabiduría que hay en el arte, en las historias, en los mitos y en la literatura está al alcance de cualquier persona, sin importar la poca experiencia que tenga en otros campos. Pero eso también significa que debemos estar atentos y estar preparados para aprender del arte, no solo se le debe considerar la clase de entretenimiento para una noche que quedará en el olvido.

Veamos algunos otros ejemplos para encontrar las pistas que estas obras podrían tener para nosotros sobre nuestros procesos mentales. En la mitología griega, Orfeo desciende al inframundo para rescatar a su esposa Eurídice que ha muerto; esta es una leyenda que se ha narrado y repetido en muchas ocasiones. Antes de llegar a la superficie y a la vida normal que tanto desean, Orfeo comete un error fatal; mira hacia atrás. Le habían prohibido expresamente que lo hiciera, como una condición para permitirle recuperar a su esposa. Eurídice es arrancada de su lado y sumergida en el Inframundo.

Lo que este relato nos transmite como metáfora es que tal vez podríamos ponernos en contacto con nuestro ser opuesto, *animus* o *anima*, pero que también es fácil que perdamos contacto con lo que sabemos en nuestro corazón cuando regresamos al mundo cotidiano. "Olvidamos", negamos o restamos importancia a lo que en el fondo de nuestro ser sabemos que es verdad. Es fácil hacerlo. Nos alejamos de lo que en realidad es correcto para nosotros y en su lugar aceptamos lo que los demás creen que es correcto para nosotros.

En el Libro 11 de la *Odisea* de Homero, que ciertamente es una de las historias centrales que han dado forma a nuestra cultura, Odiseo ofrece sacrificios a los espíritus del inframundo y encuentra a su *anima* en la forma de su madre muerta. Quiere abrazarla y llevarla de regreso al mundo real, pero no puede hacerlo. Por otra parte, lo que tiene que aprender de ella es que debe escuchar su sabiduría, no restarle importancia, como lo habrían hecho tantos hombres en esa cultura de dominio masculino. Una de las grandes lecciones que Odiseo debe aprender es cómo tratar a las mujeres con respeto. Hasta que lo hace es digno de volver a Ítaca y a su esposa Penélope, a quien de hecho abandonó cuando salió a luchar y a librar batallas. Su guía es Atenea, la diosa de la guerra y la sabiduría, que viste armadura y que ciertamente podría luchar contra cualquier hombre. Esto es significativo porque Atenea representa, en su persona, el equilibrio de los sexos.

Otra de las grandes figuras recurrentes en la mitología griega también aparece en las obras de Homero. Se trata de Tiresias, el hombre que fue transformado en mujer. Odiseo se encuentra con el espíritu de Tiresias al mismo tiempo que se encuentra con su propia madre muerta. Las leyendas dicen que Tiresias vio a dos serpientes apareándose y las golpeó con su báculo. Al hacerlo, ofendió a los dioses que lo dejaron ciego y lo transformaron en mujer. En algunas versiones de la leyenda, pasó siete años como mujer y además tuvo hijos. Más tarde, vio otra pareja de serpientes, y en esta ocasión, cuando las golpea (aunque en algunas versiones se dice que las respeta y las deja en paz) vuelve a transformarse en hombre, y ahora se le otorga el don de la profecía y más tarde se le venera por su sabiduría.

El significado no podría ser más claro: solo la persona que realmente se ha encontrado con su ser opuesto (y en sentido figurado se ha convertido en ese opuesto, viviendo la experiencia desde el otro lado), es la persona que puede ver con suficiente claridad para poder ser conocedora de la forma en que se vive en el mundo. Una y otra vez, la tarea es lograr la compasión a través de la comprensión, para eso se requiere que conozcamos a fondo el *animus* y el *anima*. Cuando lo hacemos, entramos a una nueva relación con el destino, una relación que tiene que ver explícitamente con la sincronía. Porque eso es un profeta: una persona que tiene un vínculo con la energía divina y puede ver con claridad cómo se desenvuelve el propósito divino.

Esta idea del vidente, del chamán, que es hombre y mujer, es una idea antigua en muchas culturas, y tiene dos propósitos simbólicos. El primero es decir que esta persona definitivamente no es igual al resto de nosotros, sino que de alguna manera se ha elevado por encima de las categorías. El segundo es señalar que la forma en que el chamán ve las cosas no está circunscrita a una categoría de pensamiento "masculino" o "femenino"; sino que es una combinación de ambas sabidurías, la cual es mayor que la suma de sus partes.

Para Tiresias, la cualidad adicional que obtiene debido a sus tribulaciones es el don de la profecía, y la profecía era una actividad difícil en el mundo de Homero. Casandra de Troya era una profetisa. Todas sus predicciones se cumplían pero, por desgracia, ella no podía lograr que la gente creyera en ella. Este es un detalle interesante, hasta que lo vemos también como una metáfora. Troya era una ciudad donde no se escuchaba a las mujeres, un lugar donde fue aceptable que Paris llevara a Helena como botín de guerra.

Él se la robó a su esposo y la trata como una especie de juguete sexual. De hecho, en Troya las mujeres solo son objetos, así que no es sorprendente que Casandra tenga tantas dificultades. Esto implica que Troya es un lugar donde los hombres y las mujeres no se encuentran con su *animus* o su *anima*, y este vacío espiritual personal es en parte lo que causa su destrucción. De hecho, ignoran a Casandra cuando predice que el Caballo de Madera causará problemas. Y todos sabemos lo que sucedió después.

Las lecciones que contienen estos relatos son muy claras. Escucha lo que tiene que decir el *animus* o el *anima*, porque si no lo haces, te enfrentarás al desastre, y no estarás en contacto con la auténtica corriente de energía del mundo: la fuente de la sabiduría que está al alcance de los videntes y de los oráculos.

Otros ejemplos de este tema mítico refuerzan este mensaje. En un relato secundario sobre Troya, Crésida, hija de Calcas, tiene un problema similar; un problema que se repite en muchas historias a lo largo de los siglos, incluyendo el magistral poema largo de Chaucer, *Troilus and Criseyde*, y la obra de Shakespeare, *Troilus and Cressida*.

Crésida es una mujer viuda que se queda en Troya cuando su padre se une a los griegos (en esa sociedad los hombres se iban y abandonaban a las mujeres). Su padre es un vidente que sabe que al final Troya será derrotada. Es el mismo tema que ya hemos visto. Estando en Troya, Troilo, un príncipe troyano, corteja a Crésida. Él está desesperadamente enamorado de ella y ella obviamente lo considera atractivo, pero está muy consciente de los problemas sociales que enfrentarán, por ejemplo, qué pensará la gente de ella si llega a saber de su romance.

Calcas hace un arreglo para intercambiar prisioneros y quiere que su hija venga a su lado y lo acompañe en las líneas de batalla. No la consulta; simplemente le ordena que haga lo que él le pide. Además, Crésida no tiene otra opción; tiene que obedecer la orden ya que como intercambio se liberarán varios prisioneros hombres. Se considera que ellos son más valiosos que ella, y como hemos visto, la sociedad troyana no valora mucho a las mujeres.

Crésida se aleja de Troilo con gran renuencia. Cuando llega al campamento griego, prácticamente queda indefensa y poco después se ve obligada a asumir el papel de amante de Diomedes, un soldado griego. Nótese que no es su esposa, sino su concubina. Es como si ella no tuviera otra opción, y no hay señales de que su padre tenga intención de protegerla.

Troilo, por supuesto, toma esto en forma muy personal y está convencido de que ella lo traicionó. Y lo hizo; pero suponemos que en circunstancias similares casi cualquier persona habría actuado como actuó Crésida. Ella no ha tenido la oportunidad de tener acceso a su valentía, y Troilo no ha podido tener acceso a su capacidad de comprender las presiones que vive Crésida. La juzga a partir de sus estándares masculinos, y ella no siente que puede actuar en base a esos estándares. Solo está tratando de sobrevivir lo mejor que puede.

La historia es una tragedia en la que vemos que el *animus* y el *anima* no se han revelado a esta pareja, y literalmente no actúan a partir de la misma conciencia moral. Simplemente responden a las expectativas externas de la sociedad, que está involucrada en una guerra demente. A Helena de Troya, que fue apartada de su esposo, se le venera al igual que a Paris, el hombre que la raptó; sin embargo, el romance de Troilo y Crésida se ve como una desgracia en potencia. ¿Dónde quedaron los estándares morales?

Si necesitamos una comparación moderna, podríamos pensar en las mujeres que al final de la Segunda Guerra Mundial, tal vez creyendo que sus esposos habían muerto, se casaron con soldados de las fuerzas de ocupación. Eligieron a su pareja basándose en diversas razones, algunas más nobles que otras; algunas lo hicieron por seguridad, algunas para escapar de la soledad y otras por miedo. Algunas realmente encontraron un amor que duró toda su vida.

Podríamos traer esta comparación a un periodo más cercano. Desde la caída de la Unión Soviética, muchas personas de diversos países han tenido libertad para viajar a occidente donde han conocido personas que durante la guerra fría eran sus enemigos y se casaron con ellas. Algunas personas se casan por amor; otras se casan para escapar de su pasado y de las dificultades de su vida. Encuentran una pareja "bastante buena" y se establecen. En cada caso, están buscando una vida mejor, no están tratando de adherirse a cierto tipo de etiqueta nacional. Si esa vida mejor que buscan no se materializa, a veces el romance también desaparece. Este es el tipo de uniones que hacen las personas que actúan en base al ego. Las comodidades materiales son la consideración principal: el corazón prácticamente no se involucra.

Y sin embargo, esta clase de conducta es un patrón que se ha repetido a lo largo de la historia. Recuerdo a la gran cantidad de mujeres inglesas que viajaron a la India en trasatlánticos de la empresa P & O en las décadas de 1920 y 1930. Les ofrecían tarifas económicas porque se daba por sentado que solo sería un viaje de ida; querían encontrar un esposo entre los funcionarios del gobierno o entre los oficiales de la milicia que estaban bajo el control británico. En ocasiones, estos matrimonios fueron muy felices, y a menudo muy convenientes. En relación con lo que hemos visto, sin embargo, fueron el tipo de matrimonio que tendría que luchar para encontrar un contenido espiritual significativo.

El hecho es que, en esas circunstancias, puede ser muy difícil para los hombres tener acceso a su *anima*, que es más tierna, y puede ser muy difícil para las mujeres reclamar su *animus* con eficacia. En cada caso, el requisito es una confianza y un afecto verdaderos, y estar dispuesto a cambiar y aprender de la otra persona. No puede ser fácil hacerlo en un matrimonio arreglado en que una persona tiene que casarse con alguien que es prácticamente un extraño, o en una circunstancia en que la conducta de la persona tiene que ajustarse a lineamientos sociales estrictos. De hecho, es una receta bastante segura para hacer que el descenso al inconsciente se retrase de manera indefinida.

Cuando los hombres y las mujeres se conocen y se relacionan en circunstancias sujetas a un control excesivo, en que los roles se definen con demasiada rigidez, es difícil llevar a cabo la introspección necesaria. Si volvemos a Shakespeare por un momento, sus contemporáneos disfrutaban sus comedias románticas porque estas obras teatrales presentaban justo el tipo de circunstancias que muchos hombres y mujeres anhelaban, pero muy pocos podían vivir en realidad: una verdadera relación basada en dar y recibir y en la realización mutua. Por eso no es sorprendente qua a la gente le gustaran estas obras. No es de sorprender que todavía le sigan gustando.

El precio de no llegar a lo profundo

Por tanto, hablemos de esto en detalle. La literatura tiene un mensaje profundo: aquellos que no tienen acceso a su *animus* o *anima* llevan vidas que finalmente son estériles.

También es necesario enfatizar aquí un segundo punto: existen ciertos aspectos del desarrollo personal que obviamente no se pueden lograr estando aislado. Uno no puede ir a una ermita en el bosque y relacionarse con éxito con su *animus* o *anima*. Puede hacer otras cosas en esa clase de aislamiento, pero no esto. Lo que uno aprende sobre su lado opuesto debe de vivirse, todos los días, con otras personas. Existen otras formas de lograrlo aparte de las relaciones románticas. Por ejemplo, una persona que hace un buen trabajo con un terapeuta puede avanzar mucho en el camino a abrazar a su *animus* o *anima*. Lo primordial es que las lecciones que se aprenden no pueden aprenderse estando aislado; deben llevarse al mundo de las relaciones cotidianas, con todo su desorden y sus confusiones.

El tercer punto es que para realizar este trabajo, necesitamos estar en una relación en la que ya exista cierto afecto mutuo, suficiente para que cada persona se sienta segura. Algunas de las personas con quienes trabajo y a quienes asesoro parecen pensar que no pueden redefinir sus destrezas personales y su conciencia de la psique, hasta que, como un coche recién pintado, estén absolutamente brillantes y en excelente forma. Sienten que entonces estarán listas para salir y encontrar una conexión. Han hecho el trabajo, ahora ha llegado el momento de poner a prueba los resultados.

Bueno, esa podría ser una comparación muy bonita, pero es falsa. Uno se forma, fortalece su psique, estando con otras personas que son parte de ese proceso. Tienen que ser parte del trabajo confuso, tienen que ser parte de la tarea de pintar y ensamblar este vehículo. Cuando el vehículo esté listo para ser conducido, no es "mi" vehículo ni "tu" vehículo... es el vehículo del que tú y yo somos parte. Uno no puede perfeccionarse y luego aparecer, como un miembro de la realeza en una ceremonia oficial (usando otra comparación), esperando que todos se acerquen y sean capaces de reconocer sus cualidades internas. Eso podría ser una bella fantasía, pero así no son las cosas en la vida.

En mi trabajo de asesoría personal encuentro una y otra vez que algunas personas creen que no pueden tener ningún tipo de relación porque están demasiado confusas, o no están listas, o temen que otros las desprecien si revelan sus confusiones y sus dudas. Son temores reales. En general, las personas de hecho tienen que tranquilizarse en cierta medida antes de poder tener una relación exitosa; sin embargo, estos temores podrían erigir una barrera de la que la persona no está consciente, una actitud mental que les dice: *no estaré listo para enfrentar al mundo hasta que haya resuelto mis confusiones.*

El problema es que nadie llega a resolver totalmente sus confusiones, y por lo general las personas que están con nosotros cuando estamos tratando de resolver situaciones de importancia relacionadas con nosotros mismos son las personas con las que realmente podemos forjar relaciones. Esa es una de las razones de que las personas que han estado juntas en un grupo o han vivido circunstancias difíciles juntas hayan creado vínculos más fuertes que otras. Trabajar con otros, a pesar de ser imperfectos y estar molestos o confundidos, nos permite tener acceso a una emoción importante: el amor incondicional. Eso es lo que se simboliza en el Nacimiento Virginal donde la concentración está en el recién nacido. El niño ama incondicionalmente, y también la madre.

En el mundo cotidiano, amamos a las personas que amamos a pesar de sus defectos, lo que nos permite acercarnos al amor incondicional. Sin embargo, lograrlo plenamente podría requerir de algo de tiempo y esfuerzo. Hay personas que tal vez nos desagradan, pero de todos modos las amamos, si sabemos cómo hacerlo y hemos practicado esa destreza. Este es un aspecto del amor incondicional en el que aceptamos a las personas tal y como son en este momento. Cuando lo hacemos, nos hemos aceptado a nosotros mismos, incluyendo nuestros defectos, de manera incondicional.

Cuando entramos a lo profundo de la psique, descubrimos que somos muy parecidos. Eso hace que sea difícil odiar a otra persona, pues si todos somos iguales, ¿qué es lo que odiamos? Dañar a otra persona sería tan lógico como desear causarle daño a nuestra propia mano o a nuestro propio pie. Todos somos uno.

Llegar a saber que estamos unidos no es una tarea que podamos lograr con solo pensar en ella. Tenemos que sentirlo en al corazón. Tenemos que trabajar todos los días para recordar que esas personas que nos vuelven locos son exactamente como nosotros, porque podemos estar seguros de que hay alguien en algún lugar a quien nosotros volvemos loco. La historia de Jesús es una prueba de que no importa lo bueno que seas, alguien se va a sentir ofendido por lo que haces. Pero de cualquier modo debemos amar a esas personas. Tenemos que vivir esta información todos los días, y es una tarea difícil.

Los mitos y la literatura son claros: Si podemos llegar a este punto de aceptación personal, estaremos plenamente en el flujo de la guía de la sincronía, y parecerá que suceden milagros a nuestro alrededor. Pero eso es mucho pedir.

Resumen

En cierta medida, todos entendemos que tenemos que construir un yo, una persona, que nos permita enfrentar al mundo y encajar en él. Esta necesidad de una identidad social es natural. Pero también debemos recordar que este yo no es la totalidad de lo que somos, pues también somos aquellos aspectos de nosotros mismos que hemos tenido que refrenar. En ciertos momentos, si no recordamos esto, el yo reprimido surgirá y se presentará como Cabello Pegajoso, y tendremos que ajustarnos a eso.

La mitología y la literatura nos muestran que este proceso es totalmente normal y saludable. Al aceptar este aspecto reprimido de nosotros mismos, nos colocamos a un lado de Odiseo, de Dante y de muchos otros, para comprobar que sin importar lo exaltados que estemos, el trabajo tiene que hacerse.

Asumimos esta tarea de enfrentar al Yo Sombrío, no solo para ser felices, tener éxito o conseguir un mejor trabajo, sino porque al hacerlo nos alineamos con un mundo en el que hay mucho más que un nivel superficial. Se nos ofrece la oportunidad de encontrar nuestro *animus* o *anima* y darnos cuenta de que eso puede mostrarnos la verdadera naturaleza de un amor real, ya que en el fondo eso es lo que somos, cada uno de nosotros. Este conocimiento nos lleva a una aceptación de la lucha eterna de la gente en todas partes. Llega a ser imposible no amar al prójimo, no preocuparse por la ecología y el planeta, porque vemos que existe entre nosotros un vínculo que es imposible romper.

La Sombra puede mostrarse a través de diversas acciones que buscan su propio beneficio, pero en el fondo es miedo a la muerte, miedo de que seamos insignificantes en el cosmos, totalmente irrelevantes y que nuestra vida solo sea ligeramente mejor a no existir. Su aspecto caótico y destructivo es simplemente una reacción al temor agobiante de que nada tiene importancia. El poder de los mitos es que nos revelan que no somos los únicos que sentimos esto y que somos parte de algo significativo. El amor no significa nada si no estamos conscientes de la amenaza de la muerte que hace que el amor sea tan preciado, y no podemos sentir todo el poder del amor si no hemos reconocido su impotencia.

El descenso a nosotros mismos nos invita a vernos en una forma nueva ya que nos despoja de todo excepto de nuestra esencia fundamental. Cuando sabemos lo que somos en el nivel más profundo, sabemos lo que podemos ofrecer y cómo usarlo sin que el ego asuma el poder. El ego no deja de existir; solo funciona en forma diferente, pues lo usamos para que nos recuerde nuestra autenticidad personal. Por tanto, puede decirnos cómo utilizar mejor nuestras destrezas en la vida con el fin de participar plenamente en el mundo, y hacer lo que debe hacerse para el bien común. El ego, domado por una conciencia más completa de lo que es el amor, deja de ser una entidad que constantemente busca juguetes y emociones, y empieza a ser una fuerza que nos lleva a actuar de acuerdo a nuestras fortalezas, y cada persona tiene fortalezas diferentes. Si se usa en forma adecuada, el ego hará que estemos en el momento presente con plena conciencia. En su nuevo papel, el ego responde a las oleadas de intuición y comprensión gracias a las cuales sabemos mucho más de lo que creíamos saber sobre una persona o una situación; y ahora nos guía para que podamos ver lo que necesita hacerse. Si la energía del universo es la luz brillante del sol, ahora el ego es el panel solar que puede transformar esa energía en acciones útiles.

Aquí es donde la sincronía empieza a revelarse más plenamente.

SEGUNDA PARTE

Los obstáculos a la sincronía

10

Las trampas de la mente y cómo construimos la realidad

Las palabras que usamos

Ahora que ya tenemos una visión general de la forma en que podemos llegar a estar en armonía con la naturaleza sincrónica del universo y lo que requerirá de nosotros, necesitaremos pensar con más cuidado en lo que podría cruzarse en nuestro camino y obstaculizarnos. La mística Eileen Caddy, cofundadora de la Comunidad Findhorn en Escocia, lo expresa de forma maravillosa al decir:

> La oscuridad no podrá disiparse sino hasta que se revele, se lleve a la superficie y se vea tal como es. En la luz, no tiene poder y acabará por extinguirse y desaparecer.[1]

Esto se refleja en el Eneas de Virgilio, que desciende al inframundo y el fantasma de Anquises, su padre, le dice que debe realizar una tarea: debe fundar la ciudad de Roma. También se le aconseja para que pueda "evitar o enfrentar cada prueba" que encontrará en su camino.[2] La mayoría de las barreras que nos impiden hacer lo que necesitamos hacer vienen del interior de nuestra propia mente. Más vale estar preparados.

Todos tenemos trampas mentales que nos detienen. Ya hemos identificado una: sentir que tenemos que estar preparados o ser perfectos antes de empezar una vida real. Esto se parece a lo que aprendimos siendo niños: que no podemos hacer las cosas hasta que alguien o algo esté listo, o hasta que estemos bien vestidos o bien peinados. La idea es: *ahora ya estás listo*.

Es la misma actitud mental que dice que lo único importante es estudiar para aprobar las pruebas o los exámenes, y que cuando se te diga que comiences estés listo, preparado, completo. Creemos que esto hará que seamos populares o que seamos mejor que otros. Cualquiera que crea eso se está perdiendo de muchas cosas en la vida. Formamos relaciones con las personas, no con los resultados de los exámenes ni con los diplomas. Esta es una de las imágenes más engañosas que las personas tienen de sí mismas. Es una manera de pensar muy similar a la que nos impulsa a comprar un auto o un bien duradero grande y caro, pensando que cuando lo tengamos, *entonces* seremos felices. Pensamos que si ahorramos para unas vacaciones, *entonces* nos relajaremos, que si tenemos una pareja y una casa, *entonces* habremos hecho realidad nuestros sueños.

Pensamos así porque la sociedad está estructurada en base a ese orden rígido. Trabajamos arduamente ahora para cosechar los beneficios más tarde. Y con frecuencia lo hacemos. Pero también podemos disfrutar el ahora y no preocuparnos demasiado sobre lo que pasará después. Si queremos liberarnos para poder estar en el flujo, tendremos que desprendernos de este modo de pensar que se basa en un "ahora seguido de un después". En lugar de eso tendremos que acostumbrarnos al "ahora" continuo. Si siempre estamos pensando en el futuro, no podremos ver las sincronías que nos rodean... en este momento.

Así que remontémonos al pasado por un momento. ¿Cómo exactamente empezaron los seres humanos a pensar en esta forma orientada hacia el futuro? Bueno, tal vez eso era parte de nuestro código de supervivencia. Si hoy nos organizábamos para tener alimento y un lugar donde vivir, *entonces* el mañana sería más fácil. Si poníamos las cosas en orden mientras el clima era cálido, *entonces* el invierno no sería tan difícil y morirían menos de los nuestros.

Estas, obviamente, son actitudes mentales útiles. Pero cuando las llevamos solo un paso más allá, ya no somos capaces de vivir en el momento presente y vivimos ante todo en el futuro; y es entonces cuando perdemos de vista aquello que es importante. Las enseñanzas del yoga y de la meditación siempre nos piden que regresemos al aquí y el ahora. Casi todas las personas te dirán que la meditación es difícil al principio. Requiere de práctica y esfuerzo. Esto indica lo profundas y poderosas que pueden ser nuestras actitudes. Tenemos mucha más experiencia en dejar que nuestra mente se lance alocada a pensar en posibilidades futuras o en recordar los pesares del pasado que en desprendernos de todo eso y ponernos en contacto con el lugar en el que estamos.

Existen muchas de estas trampas mentales ocultas; hábitos de la mente que están tan profundamente arraigados en nuestro interior que ni siquiera estamos plenamente conscientes de la forma en que operan. Y si no estamos conscientes de estas trampas, ¿cómo podemos asegurarnos de no caer en ellas o ser su víctima?

Consideremos, por ejemplo, la diferencia entre la forma en que los seres humanos y otros animales ven físicamente el entorno. Ciertos tipos de aves, antílopes y otros animales tienen ojos que miran hacia los lados de su cabeza, lo que los capacita para ver lo que ocurre a su alrededor, e incluso a sus espaldas. No es muy fácil para ellos ver lo que está justo frente a sus ojos, y buscan su alimento en formas que para nosotros no serían muy satisfactorias. Como siempre están alerta a algo que podría asecharlos a sus espaldas y devorarlos, su manera de pensar es muy diferente a la nuestra. No podemos saber con certeza cómo piensan, pero podemos estar seguros de que nosotros, que somos criaturas cuyos ojos miran hacia el frente, tendemos a ver hacia el futuro, tendemos a ver con mucha claridad lo que vemos y con una visión estereoscópica que nos permite determinar justo la distancia a la que está algo y lo que está haciendo.

¿Es entonces sorprendente que este hecho, relacionado con la habilidad física, tienda a significar que nosotros los humanos "veamos hacia delante" en nuestra planeación, que recompensemos a quienes tienen la capacidad de "enfocarse", a quienes son "precavidos", a quienes tienen "visión"? Valoramos los aspectos de la vista y del mirar que podemos identificar físicamente. Le preguntamos a la gente: "¿Ves"? o "¿Ves lo que quiero decir?" cuando señalamos algo verbalmente, usando palabras, cosas que definitivamente no se pueden "ver". Cuando hacemos esto, estamos reflejando nuestros prejuicios subliminales; incluso decimos que algo está "en el horizonte" de nuestra vida. Estoy seguro de que podrías encontrar docenas de ejemplos adicionales.

Los clichés que usamos se relacionan totalmente con el accidente físico de nuestros cuerpos. Pero cuando se trata de los procesos internos, tenemos que usar frases como "sabiduría interna" para diferenciarla de la sabiduría más ordinaria, orientada hacia el exterior. Hablamos de "conocimiento interno" y de "perspicacia"; y el carecer de palabras específicas para estos procesos internos nos indica que no estamos tan familiarizados con ellos como quisiéramos y tampoco estamos cómodos con ellos.

Nuestro lenguaje en sí, los términos que usamos todos los días, nos indican que nuestra conciencia interna no es algo que manejemos muy bien en forma natural. Esto incluso se extiende a palabras como "oración". La palabra "oración" tiene su origen en una palabra relacionada con pedir algo, y puede significar muchas cosas. Podemos pedirle cosas o acciones a la Fuerza Divina, podemos rogar pidiendo intercesión o (y este es el uso más extraño de esta palabra) podemos usar la acción de orar para permanecer inmóviles y recibir las palabras que nos guiarán.

La mayoría de las personas siguen creyendo que la oración es para pedirle Dios que haga algo por nosotros, y no para escuchar lo que Dios tiene que decirnos: *Por favor, Dios, cuida a las víctimas del terremoto. Por favor, Dios, castiga a nuestros enemigos. Por favor, Dios, danos la victoria.* Estas son demandas, no es una actitud receptiva para escuchar respuestas. De hecho no tenemos muchas palabras para describir esta acción de escuchar a la Fuerza Divina, aunque son cada vez más las personas que usan la meditación para hacerlo. Desafortunadamente, la meditación no es tan común como podríamos esperar. Refleja el hecho de que en general no existe una comprensión de la naturaleza de nuestra relación con lo eterno. En muchas ocasiones, las personas que he conocido han dicho que oraron pidiendo algo y no sucedió, así que dejaron de recurrir a Dios. Quienes piensan así, son graduados de universidades prestigiosas al igual que jóvenes que han abandonado sus estudios.

Si queremos experimentar la rica vida interior que deseamos, tal vez tengamos que reconocer que el lenguaje que usamos, las palabras con que construimos nuestros pensamientos y conceptos, a veces no son muy útiles para llevarnos hacia donde queremos ir.

Este es otro ejemplo: una mujer le preguntó a Deepak Chopra, el conocido asesor espiritual, cómo podía tener una vida espiritual, educar a sus cinco hijos y cumplir con su trabajo. Dijo que no tenía mucho tiempo para meditar. ¿Cómo podría tener una vida espiritual? El Dr. Chopra sugirió que ella podría dar prioridad a la meditación, y así todo lo demás se alinearía de acuerdo con los resultados. Le dijo que si primero meditaba, sería mucho más eficiente en todas sus otras actividades.[3]

Es una respuesta atinada, y parece verdadera. Lo cierto es que no tiene mucho que ver con la intuición. Quizás la mujer esperaba que le diera algunas ideas sobre la manera de meditar mejor o de encontrar algún atajo. Sin embargo, la forma en que ella planteó la pregunta parecía indicar que la práctica de la meditación era el problema, pues no encajaba con el resto de sus actividades.

Como todos sabemos, la forma en que uno plantea una pregunta a menudo determina lo que será la respuesta. Esta es una pregunta que yo podría hacerme: "¿podría yo correr de un lado a otro, reunir mis cosas, terminar de escribir esta página, entrar al coche de un salto y llegar al gimnasio a toda velocidad para hacer 15 minutos de ejercicio, o debo quedarme sentado aquí, relajarme y ver la televisión?". Creo que puedes ver que la forma en que redacté la pregunta hace que la opción de ver la televisión parezca más atractiva, aunque no haya nada interesante en la televisión a esa hora del día. Así que sopeso las cosas mal debido a la forma en que hago la pregunta.

Una respuesta alterna a la pregunta que planteó la mujer que tenía cinco hijos podría ser preguntarle por qué pensaba que ella "tenía que hacerlo todo". ¿Había otra opción? ¿Podría arreglárselas para hacer menos trabajo, pasar más tiempo con sus hijos y dedicar más tiempo a la meditación? ¿Podía organizar a sus hijos de modo que pudieran ayudarse entre sí con diversas tareas que ella normalmente tenía que hacer? ¿Podía invitar a sus hijos a meditar con ella? Y estoy seguro de que podríamos sugerir otras opciones si conociéramos la situación y los detalles un poco mejor.

El lenguaje que escogemos al hablar con nosotros mismos determinará la forma en que vemos el mundo, y a veces creemos que las situaciones son desesperadas a pesar de que ofrecen incontables oportunidades. La mujer veía la situación como un problema que tenía que resolverse, y no como un tema sobre el que tenía que tomar una decisión para determinar la actividad a la que ella daría prioridad en su vida. Al parecer pensaba que en realidad podía "tenerlo todo". Este es un engaño común que la publicidad fomenta. Por ejemplo, los anuncios publicitarios nos dicen que podemos tener un auto enorme que no gasta mucho combustible (eso nos ayudaría a sentirnos bien de tener un auto enorme), y que podríamos cumplir con el plan de pagos, ya que "no es necesario pagar un enganche". Bueno, ¡claro que podrías pagarlo! El problema podría ser que aunque te dieran crédito, tal vez a la larga no serías capaz de cubrir los gastos que implicaría tener ese auto.

Estoy seguro de que puedes ver el patrón. Sospecho que esta mujer con cinco hijos era una madre muy noble y de buen corazón, pero estaba pidiendo un consejo porque el mundo del "deberías" se atravesó en su camino. Se le había hecho creer que ella *debería* ser capaz de hacerlo todo, y era demasiado difícil para ella admitir que eso no era razonable.

Si realmente queremos encontrar la sincronía y el flujo, tal vez necesitemos darnos cuenta de que seguir el flujo de los sucesos podría incluir ajustar nuestra vida a cosas que otros no aprueban. No podemos vivir simultáneamente esa vida y la vida que recibirá aplausos de todo el mundo. Tal vez tengamos que hacer elecciones.

Al igual que esta mujer, tendemos a obligarnos a creer algo que no es cierto; sin embargo, en cierto nivel no es posible engañarnos con palabras a menos que estemos de acuerdo en ser engañados. Algunas personas son muy hábiles para hacer esto. Los detectives de la policía son expertos para determinar si alguien está mintiendo; al parecer son más hábiles que la mayoría de los jurados. La mayoría de las personas se concentran en las palabras, no en observar claves no verbales.

¿Qué pasa entonces cuando no nos concentramos en las palabras?

Este es un ejemplo: la próxima vez que estés en un espacio público como un aeropuerto o una estación de ferrocarriles, o en cualquier lugar en que las personas viajen, mira alrededor. No te será difícil identificar a las personas que se aman. Independiente de su raza o de su edad, notarás algo en su compenetración, y no tendrían que estarse besando o acariciando.

Si sigues observando, verás si alguien tiene un vínculo no amoroso con otra persona. Por ejemplo, quizás notes la forma en que interactúan las madres y los hijos, aunque no estén precisamente felices unos con otros, incluso aunque estén cansados o aburridos. Cuando estamos en una fiesta y vemos a la gente flirteando, sabemos que lo están haciendo aunque estemos en el otro extremo de la sala (y aunque después lo nieguen). Vemos sus movimientos y sus expresiones faciales, y sabemos lo que está sucediendo independientemente de sus palabras. Y cuando conocemos a alguien que es poco usual, alguien que tal vez sea muy sabio, sea muy santo o sepa amar profundamente, recordaremos lo que se siente al estar cerca de ellos mucho más de lo que recordaremos lo que dijeron.

Podría parecer obvio cuando lo expreso en esta forma, pero no lo es. Observamos cómo las personas se tratan entre sí y sacamos conclusiones. Menciono esto solo porque refleja un conocimiento interno que es preverbal y algo o alguien podría llevarnos a restarle importancia, si nosotros lo permitimos. El esposo podría convencer a su esposa, usando las palabras adecuadas, de que él en realidad no estaba flirteando con la otra mujer, pero la esposa podría seguir sintiendo dudas, sin importar lo bien que suenen las palabras o lo persuasivas que sean...

Todo esto significa que sabemos más de lo que creemos saber, que creamos nuestras propias barreras a la comprensión y muy a menudo lo hacemos usando palabras. Así que estamos enfrentando un problema de lenguaje. Al parecer hay un lenguaje que garantiza el éxito en el mundo material de las cosas y del comportamiento adquisitivo, y hay un lenguaje por completo distinto que se relaciona con la paz interior.

En el libro y serie de videos sobre *El secreto*, se nos pide que consideremos que el universo es una fuente de dones sin límites, y que lo que necesitamos hacer es concentrarnos en lo que queremos y más tarde eso se nos manifestará. Esto es cierto. He sido testigo de ello con suficiente frecuencia como para poder afirmarlo. Podemos hacer que se manifieste cualquier cosa que queramos si nos concentramos en ella y la pedimos. Entonces, ¿por qué tantas personas se sienten decepcionadas cuando intentan usar la ley de la atracción y lo que desean no aparece?

El problema está en lo que pedimos, pues tendemos a pedir en base a las palabras y expectativas de nuestra sociedad, y esto en realidad podría impedir que consiguiéramos lo que necesitamos, aunque de hecho obtenemos lo que pedimos. Ya hemos analizado esto brevemente, pero vale la pena volver a considerarlo en detalle.

Por ejemplo, el hombre que dijo que si solo pudiera conseguir un trabajo que pagara ochenta mil dólares al año se sentiría seguro, estaba expresando un deseo real. Por supuesto, poco después consiguió el trabajo que pagaba el salario que él había pedido. Pero no era feliz porque el trabajo no le gustaba en realidad, exigía demasiado tiempo, y él no se sentía seguro porque tenía miedo de que lo despidieran en la siguiente crisis económica. Para este hombre, la solución era alarmantemente sencilla en realidad. Había pedido cosas inapropiadas que de hecho aparecieron para él.

Si hubiera comenzado con una actitud mental diferente, una actitud menos dominada por los clichés de nuestra sociedad, tal vez se habría preguntado qué quería tener con mayor abundancia en su vida en realidad. La respuesta es que él quería sentirse seguro, y el trabajo y el dinero fue su forma de expresarlo. Si se hubiera concentrado en la idea de sentirse seguro, tal vez habría tenido que preguntarse lo que la seguridad significaba para él. ¿Cómo haría que se sintiera en realidad?, no en términos de dinero en el banco, sino en términos de cómo se sentiría cada mañana al levantarse. ¿Cómo necesitaba sentirse en su vida para poder experimentar seguridad? Tal vez sería necesario que trabajara realmente en sí mismo para reducir su nivel de miedo. Bueno, no lo hizo y ni siquiera pensó que valiera la pena hacerlo. Se concentró en el dinero.

Para muchas personas, sentirse bien no tiene que ver con el dinero, sino con el hecho de ser amadas y apreciadas, o con el hecho de poder salir a caminar y disfrutarlo, admirando los árboles y las flores. Si este hombre quería seguridad, entonces tendría que encontrar lo que esto realmente significaba para él, y solo para él; tendría que descartar las ideas de otras personas sobre lo que es la seguridad. Mi agente de seguros está convencido de que no podré sentirme seguro si no compro un cuantioso seguro de vida para que mi familia lo disfrute cuando yo muera. Si yo aceptara su versión de la realidad, compraría el seguro.

La seguridad no puede comprarse. No puede obtenerse teniendo "el auto más seguro de las calles" o "las cifras más favorables en las pruebas de impacto". Eso no puede darnos seguridad. Tenemos que encontrarla por nosotros mismos en el interior de nuestra alma. Tenemos que alejarnos de las palabras de nuestra sociedad y encontrar palabras que nosotros elijamos y que corresponden a las realidades en que creemos.

Entonces, volviendo a *El secreto* y a las Leyes de Atracción, debemos de tener cuidado con las cosas que pedimos, como lo señala la escritora Rhonda Byrne. Algunas personas deciden que lo que desean atraer a su vida es más amor y quieren un alma gemela. Esta es una ambición muy válida, pero de nuevo, debemos de ser cuidadosos con lo que pedimos. Si estamos ligeramente perdidos, confusos e inciertos en lo que concierne a nuestra vida, entonces es casi seguro que nuestra alma gemela sea alguien cuyo nivel de desarrollo es igual al nuestro; en otras palabras, está ligeramente perdido y confuso. Las cosas similares se atraen, así que atraeremos a alguien que, cuando aparece, podría parecernos una gran desilusión porque esta persona es justo igual a nosotros, y sabemos que estamos desilusionados con nosotros mismos. En todo el mundo hay personas que en realidad manifiestan exactamente lo que piden y luego rechazan lo que aparece porque pidieron algo inadecuado.

En las memorias de Patti Smith, *Just Kids (Éramos unos Niños)*, ella relata su vida en Nueva York desde que conoció al fotógrafo Robert Mapplethorpe, y describe la forma en que sus vidas se entretejen hasta que él muere. Es impactantemente claro, justo desde el principio, que estas dos personas comparten algo muy inusual. Se entienden en una forma muy visceral. Es obvio que son almas gemelas, pero también es obvio que no serán capaces de tener una vida juntos (aunque nunca parecen separarse por completo). Tienen una conexión, pero no en la forma convencional de las parejas normales que viven en hogares bien organizados con hijos y un perro.

El libro en su totalidad es intensamente conmovedor y es, en parte, una nueva definición de la idea de la conexión de las almas. El libro es un éxito porque muestra cómo estas dos personas siempre estuvieron presentes una para la otra. Cada una era la musa de la otra, y cada una era profundamente creativa y experimental. A lo largo de los años, crecieron juntos en su creatividad y en su visión. Encontrando en sí mismos más de lo que podían haber imaginado. Eran almas gemelas, pero la historia no tuvo un final feliz tipo Hollywood.

Tal vez el universo también te dará un alma gemela. Pero si quieres un alma gemela que también te muestre amor, que te apoye, que te acompañe a lo largo de la vida, entonces asegúrate de visualizar esto y pedirlo. Atraemos exactamente lo que pedimos. Como lo expresó Wayne Dyer: "No atraes lo que quieres; atraes lo que eres".[4]

EJERCICIO: ¿Qué deseas que esté más presente en tu vida? ¿Qué quisieras que estuviera menos presente? ¿Qué deseas en realidad? Empieza a escribir desde la parte superior de la página. "¿Qué quiero que esté más presente en mi vida?". Cuando termines tu lista, pregunta: "¿Esto me traerá lo que deseo?". En otra página escribe: "¿Qué quiero que esté menos presente?", y cuando hayas llenado la página, puedes tomar una tercera página y empezar a pensar en la tercera pregunta: "¿Qué deseo en realidad?".

Al hacer este ejercicio, podrías sorprenderte por lo rápido que vas a ir más allá de las respuestas aceptadas, impulsadas por la industria de la publicidad. Si escribiste que necesitas un BMW nuevo en tu vida, tal vez decidas que eso es lo que deseas en realidad. Quizás creas que hará que te sientas bien y que seas importante. Eso podría funcionarte, pero no va a funcionar para la mayoría de las personas. Muchas de ellas llenarán la página con sustantivos abstractos como Paz, Tranquilidad, Gozo, Amistad, etcétera.

Pero la segunda parte de la pregunta también es importante. ¿Te darán esas cosas lo que deseas? Si miras tu lista, tal vez decidas que a pesar de lo valiosas que son, en realidad no las deseas tanto como deseas marcar una diferencia en la vida de alguien, de modo que puedas sentir que estás contribuyendo al mundo. Algunas personas creen que desean paz y tranquilidad, jubilarse y jugar golf, cuando lo que realmente quieren es involucrarse con la vida en una forma distinta. Es la diferencia entre "lo que quiero tener" y "lo que quiero hacer".

Cuando escribas lo que quieres que esté menos presente en tu vida, es probable que incluyas cosas como problemas de dinero, ansiedad, incertidumbre, falta de respeto, etc. En esta lista te vas a decir una verdad importante: estarás listando las cosas a las que dejarás de prestar mucha atención. Tienes la intención de dejarlas ir para que ya no sean importantes en tu vida. Después de todo, tú les diste importancia. Escribes esta lista para desprenderte de ellas y crear espacio para aquello que *en realidad* deseas en tu vida. Estas cosas buenas no pueden aparecer en tu lista porque ya no hay espacio para ellas... y no lo habrá sino hasta que elimines las cosas viejas. Por ejemplo, conozco un joven que está en silla de ruedas, pero no permite que eso sea un obstáculo para él. Cuando alguien le hace una pregunta relacionada con esto, simplemente dice que no lo considera un problema en su vida, así que no lo es. Este hombre no puede fingir que la silla de ruedas no está ahí, sí lo está. Pero él puede asegurarse de que no obstaculice su camino.

Cuando te sientas asolado por las dificultades, solo mira la lista de las cosas que deseas en realidad. Reconocerás que tampoco quieres este nuevo problema en tu mundo. Agrégalo a la otra lista, y puedes dejarlo ir y dejar de pensar en ello. Si la primera lista de lo que quieres que esté más presente en tu vida tiene muchas cosas abstractas e intangibles, como Paz y Felicidad, entonces es muy probable que la lista de lo que quieres que esté menos presente en tu vida tenga algunas cosas concretas. Como jefes que se comportan como idiotas, coches que se descomponen, vecinos molestos, etc. Reconócelas como áreas de estrés y decide prestarles menos atención, o esfuérzate por eliminarlas de tu vida.

Recuerda: aquí la tarea es elevar tu nivel de conciencia para que no atraigas más de las cosas que te atormentan.

La lista de las cosas que *en realidad* quieres es la que atesoras. Pégala en algún lugar (el refrigerador es muy adecuado) y si quieres, conviértela en un tablero con imágenes o añádele dibujos (los dibujos son especialmente buenos, aunque toma tiempo hacerlos). Luego asegúrate de verlo, de verlo realmente todos los días. Hacerlo te recordará lo que es esencial y mantendrá tus ojos abiertos a lo que en realidad deseas. Esta lista tenderá a estar a la mitad del camino entre las otras dos, ya que es probable que incluya cosas como más tiempo con los niños, más tiempo para la familia, más "cine y pizza" con los amigos. Esta lista es práctica y está vinculada directamente con los placeres intangibles de estar con las personas que amas y con quienes te diviertes. Estas son cosas reales que puedes hacer en este momento.

Si decides concentrarte en esta lista, eso eliminará la tendencia natural a preocuparte. Preocuparnos es concentrarnos en lo que no queremos y eso daña tanto nuestro bienestar que lo único que podemos ver es la preocupación y no vemos ninguna de las otras cosas buenas. Es como un hombre al que no le gusta el color de su casa y se queja tanto de eso que no puede ver los aspectos de su casa que sí valora. Habitualmente, nos cegamos a lo que es bueno porque insistimos en ver lo que no es bueno, o porque pensamos que las cosas buenas están fuera de nuestro alcance. Ha llegado el momento de cambiar eso.

Recuerda que debes crear espacio para buscar y apreciar los placeres de la vida. Cuando escribes una lista de compras, incluye un recordatorio para ti. Es fácil. Puede ser algo como: "asegúrate de pasar frente a la casa de los árboles bonitos cuando vayas a la tienda" o "haz estas compras cuando deje de llover, así será más divertido". Claro que estas son pequeñeces, pero se van acumulando. Descubrirás que empiezas a vivir los valores que deseas tener en tu vida, y cuando eso pasa atraes más de esos valores. Recuerda siempre que atraes lo que *tú* eres.

Por tanto, veamos cómo atraemos cosas a nuestra vida.

EJERCICIO: En algunas de mis clases de redacción hago un ejercicio en el que le pido a las personas que imaginen que reciben una galleta de la suerte y leen el mensaje que viene dentro de ella. ¿Qué te gustaría ver en ese papelito? Escribe un par de mensajes posibles. Puedes hacerlo ahora. Después de hacerlo, imagina un mensaje que te gustaría que recibiera tu padre. ¿Y qué mensaje querrías que recibiera tu madre o uno de tus hermanos o hermanas? Escríbelos todos. Puedes escribir varios para cada persona. Ahora, ¿qué mensaje querrías que recibiera la persona que amas? Escríbelo también.

Los mensajes que escribimos para otros pueden ser muy divertidos; pero lo más importante es que a menudo transmiten mensajes que la persona que los escribe quiere enviar a alguien, pero siente que para que quienes los reciben crean en ellos tendrían que venir de una fuente neutral. El joven que escribió un mensaje pidiéndole a su padre que dejara de beber porque eso estaba matando a su familia sabía con toda certeza que su padre nunca podría escuchar este mensaje si él se lo dijera directamente. Ese es un ejemplo fuerte, pero triste, de la razón por la cual los mensajes a veces no pueden enviarse al receptor adecuado. Escribir el mensaje permite que la persona se dé cuenta de que el hecho de que el mensaje no pueda ser escuchado por la persona que más necesitaría escucharlo, no era su culpa ni su responsabilidad. En esa forma podemos liberarnos de la culpa que sentimos por el comportamiento de otras personas. No podemos cambiarlas. Solo ellas pueden hacerlo.

Al final del ejercicio, les pido a las personas que imaginen que encuentran un regalo gratuito en una caja de cereal. ¿Qué regalo sería? Y luego les pregunto: "si fueras el director de la empresa que fabrica ese cereal y te encargaras de poner juguetes en las cajas, ¿qué juguetes o premios les pondrías?". Al final, les pregunto: "Si el dinero no te limitara, ¿qué pondrías en los paquetes de cereal?".

Tómate un momento para hacer esto. Escribe las respuestas ahora. Sé que quisieras no hacerlo, pero escríbelas de todos modos.

He estado haciendo este ejercicio con grupos durante muchos años, y los resultados a menudo nos abren los ojos. Este ejercicio es importante por varias razones. He observado que lo que surge es que hay algunas cosas que anhelamos decirles a otros, pero que ellos no están dispuestos a escuchar o que nosotros no nos atreveríamos a decir. La cantidad de veces que he visto a las personas escribirles mensajes a sus padres diciendo cosas como "Toma tiempo para ti mismo" o "Acepta lo mucho que te ama tu familia" o "Ha llegado el momento de tomarte unas vacaciones y hacer lo que deseas", bueno, te rompería el corazón. Los mensajes amorosos no se escuchan, los que son críticos a veces no pueden mandarse.

Al hacer el ejercicio, les pido a las personas que están escribiendo mensajes que consideren si ellas siguen sus propios consejos. ¿También tomas tiempo para ti mismo? ¿Permites que otros te digan que te quieren y te valoran? Es sorprendente que, con frecuencia, los consejos que damos a otros, aunque sean buenos, son consejos que también nosotros necesitamos escuchar. Este es un ejemplo primordial del tipo de trampas mentales que he estado tratando de mostrarte. Damos consejos, y como son buenos, suponemos que nosotros estamos actuando de acuerdo a ellos. Pero a menudo no es así; ni siquiera los seguimos levemente.

En este momento, es útil regresar a los primeros mensajes, a los mensajes que escribimos para nosotros mismos. Con mucha frecuencia son declaraciones como: "todo tu tiempo de espera recibirá su recompensa" o "Vale la pena trabajar arduamente". Es muy claro que estas frases expresan la esperanza de que las situaciones que todavía son inciertas para nosotros tendrán resultados positivos. Queremos estar seguros, por supuesto, de que las cosas resultarán como esperamos, sin embargo, solo nosotros mismos podemos garantizar algo en realidad. Si yo le digo a alguien: "todo va a salir bien", tal vez esa persona me vea y me diga: "¿cómo lo sabes?". Eso sería razonable.

Por tanto, estos primeros mensajes son útiles para identificar las esperanzas del ego que tenemos. Son cosas de las que tal vez debamos desprendernos. De manera simultánea, si nos damos cuenta de que necesitamos una garantía, será mejor que demos los pasos necesarios para darnos esa garantía a nosotros mismos, y recordemos que hay que actuar con valentía. Esos mensajes iniciales nos recuerdan que nuestras esperanzas solo son esperanzas, que tal vez tengamos que arreglárnoslas sin ellas y que la única aprobación que es importante es la aprobación que nos damos a nosotros mismos.

Las respuestas a la sección sobre los paquetes de cereal tienden a ser muy prácticas o de hecho muy imaginativas. La persona que dijo que incluiría un paquetito de esperanza y gozo en cada caja de cereal, pensaba diferente a la persona que quería que un reloj confiable y duradero cayera de la caja al plato de cereal. Muchas personas dicen que quisieran recibir las llaves de un coche (a menudo de un tipo específico), o un millón de dólares. Otras piden felicidad o la paz del mundo. Obviamente hay una diferencia. Pero en cada caso la pregunta debe ser: ¿qué estás haciendo para alcanzar esas metas? Este tipo de cosas rara vez caen en nuestro regazo. ¿Qué estamos haciendo para hacerlas realidad? Esto a veces ayuda a los miembros de un grupo a darse cuenta de que en ocasiones han sido muy pasivos cuando se trata de hacer que las cosas sucedan. A menudo queremos que alguien nos las proporcione como si tuviéramos un hada madrina. Y esa actitud tiene que cambiar.

Cuando llegamos a la parte del ejercicio que se relaciona con los regalos que pondríamos en la caja de cereal si el dinero no nos pusiera límites, las respuestas con frecuencia son muy variadas. La pregunta que hago después es: ¿qué tan generoso fuiste con otros? ¿Pudiste dar libremente y creer en la abundancia, o estabas preocupado porque la empresa de cereal imaginaria pudiera irse a la quiebra? Si fuera una compañía real, entonces las consideraciones prácticas serían importantes, pero en el ejercicio se usa la palabra "si" de manera específica. ¿Pudiste entrar al espacio de la imaginación o te quedaste en el nivel práctico? El concepto que respalda este ejercicio es alarmantemente sencillo: la forma en que tratamos a otros es la forma en que tendemos a tratarnos a nosotros mismos. La forma en que amamos a otros se relaciona directo con las formas en que nos amamos a nosotros mismos. ¿Fuiste o no capaz de ser generoso con otros? ¿Y qué tan generoso eres contigo mismo? ¿En realidad te amas a ti mismo? ¿Es la generosidad solo una cuestión de dinero, joyas y juguetes, o es algo más?

Estas preguntas son difíciles de enfrentar, pero son vitales.

La parte central del ejercicio es, como tal vez lo adivinaste, que hace que todos se pongan a pensar en su suerte. Creemos que tenemos buena suerte, aunque no creamos en ninguna otra cosa. Algunas personas creen que solo tienen mala suerte. Hay una canción de la década de 1960 titulada "Born Under a Bad Sign" [Nacido bajo una mala estrella], que dice: "si no tuviera yo muy mala suerte, no tendría ninguna suerte en absoluto".[4] Obvio es un número de blues, así que tiene una nota melancólica.

Tu suerte será tan buena como creas que es. Si crees que estás maldito o eres desafortunado, te estarás dejando convencer por una autoimagen que tal vez no tenga nada que ver con el mundo o con la realidad. Ha llegado el momento de examinar tu autoimagen, la imagen que se reflejó en este ejercicio, ya que tal vez es una autoimagen que ni siquiera estás consciente de tener. También ha llegado el momento de darte cuenta de las palabras que usas y de la forma en que afectan el concepto de quien crees que eres. Tendrás que eliminar los pensamientos negativos que no te son útiles. ¿En qué otra forma entrarás al flujo?

11

La lucha contra el flujo y el destino en la literatura

Edipo, Jesús y Jonás

Mi esposa, Cat Bennet, preside grupos de arte y dibujo; también es escritora y ha publicado libros. En su libro *The Confident Creative*, usa ejercicios de dibujo para despertar en los lectores la posibilidad de estar en el flujo.[1] Lo primero que intenta hacer es lograr que sus estudiantes se desprendan de la actitud de "hacerlo correctamente", pues en el arte no hay formas correctas o incorrectas. Cuando nos desprendemos del deseo de estar en lo correcto, nos desprendemos de las voces que nos rodean y nos dicen cómo "debería" verse una imagen. Desafortunadamente para nosotros, hemos internalizado esas voces y hemos empezado a creer en ellas. Tal vez hemos creído en ellas durante muchos años, desde el jardín de niños, cuando nos dijeron que nuestro dibujo no era tan bueno como el de Guille. Como te dirá Cat, se necesita tiempo para alejarse de esto, pero cuando lo hacemos, la verdadera creatividad nos inunda.

Así que sigue el consejo de Cat y despréndete de los juicios.

En uno de sus ejercicios, le pide a los miembros del grupo que hagan un dibujo y luego les pide que lo rompan. Por lo general, se horrorizan. ¿Romperlo? ¡Pero trabajé mucho en él! ¿No debería yo conservarlo? Lo que ella señala y lo que yo quiero enfatizar aquí, es que no debemos apegarnos demasiado a nuestras creaciones, porque si lo hacemos bloqueamos nuestro flujo de creatividad. Si podemos romper algo teniendo confianza de que vendrá a nosotros más energía creativa, de hecho estamos confiando en nuestra propia creatividad. Y eso permite que llegue a nosotros incluso más rápido. Tenemos docenas de imágenes en nuestro interior esperando el momento de emerger. No te apegues todavía a ninguna de ellas, o no te apegues nunca a nada.

Hacer esto con escritores es un poco más difícil, pero yo les digo lo mismo a mis estudiantes. La escritora Anne Lamott dice algo muy similar en su libro *Bird by Bird,* cuando afirma que debemos permitirnos escribir "borradores iniciales muy malos".[2] Escribe ese borrador y prepárate para aceptar que hay en él un pequeño detalle que podría ser útil; o tal vez no lo haya.

Cuando trabajo con escritores, a veces llegamos a un punto en el que hay que repensar o reescribir una sección. Algunos escritores tienden a juguetear con lo que hay en la página con la esperanza de "corregirlo". Con frecuencia, el mejor consejo que puedo darles es: "vuelve a empezar". Por lo general, el segundo borrador, escrito después de destruir el anterior para que no sea posible usarlo como referencia, es muy superior en todos los aspectos.

Si dudas que tienes una fuente ilimitada de energía creativa, solo podrás tener acceso a una cantidad muy pequeña de creatividad. Cuando pensamos que solo hay una cantidad de flujo disponible para nosotros y que debemos ahorrar cada gramo, solo estamos obstaculizando nuestro propio estilo. Para permanecer en el flujo, por favor no te aferres a todo lo que haces. Ten suficiente fe como para volver a empezar si sientes que eso es lo que debe hacerse.

Burt Munro, el excéntrico ingeniero de motocicletas cuya historia fue el tema de la película *The World's Fastest Indian* (en España: Burt Munro: Un sueño, una leyenda, en México: El amo del viento), tenía un estante en su taller con partes rotas de motores de motocicleta que se habían destrozado en intentos de alcanzar mayor velocidad. Sobre este estante de metal retorcido colocó un letrero que decía "Ofertas a los Dioses de la Velocidad".[3] Era un recordatorio, que él veía todos los días, de que nos esforzamos, a veces fracasamos, pero eso no importa porque aprendemos y lo volvemos a intentar; un recordatorio de que nuestra creatividad no tiene límite.

Burt es un buen ejemplo de lo que estamos diciendo aquí porque tomó su vieja motocicleta Indian Scout de 1920 y la convirtió en la motocicleta Indian más rápida del mundo. Lo hizo porque esto era lo que realmente quería hacer. Aunque esto sea algo que no nos parezca atractivo, podemos aprender de ello. El flujo está disponible para todos, no solo para los escritores, los atletas o las personas que desean aprender algo sobre la vida espiritual. Está disponible y es gratuito.

Piensa en ello en esta forma: un político se vuelve prominente porque ofrece cambios y mayor igualdad. Tiene carisma y está en el flujo. Le va bien y al paso del tiempo lo aclaman como el nuevo presidente o líder. En ese momento, el reto es permanecer en el flujo y no forzar las cosas; no insistir que avancen más rápido de lo que pueden hacerlo en forma realista. Por desgracia, la historia está llena de figuras de este tipo que trataron de hacer que se lograran las cosas, se impacientaron y poco después se les vio como tiranos. Algunos de hecho se volvieron tiranos porque querían consolidar su posición y se concentraron en ello, en lugar de concentrarse en lo que el país necesitaba. Piensa en Charles Taylor, el carismático expresidente de Liberia, que actualmente está esperando un juicio acusado de crímenes de guerra.

Considera, por el contrario, al expresidente de Sudáfrica, Nelson Mandela, que subió gracias a una ola de apoyo masivo y debido a su juiciosa destreza en el liderazgo, pudo evitar una guerra entre las personas de raza blanca y las de raza negra en Sudáfrica; una guerra que la mayoría de las personas consideraba inevitable. Cuando terminó su primer periodo como presidente, Mandela dejó el puesto. Le habría sido fácil ganar las elecciones para un segundo periodo debido a su gran popularidad. Pero ni siquiera lo intentó y este gesto transmitió ampliamente un mensaje profundo. En África, donde se habían visto tantos dictadores, Mandela estaba señalando que en la nueva Sudáfrica sus pobladores compartirían el poder y delegarían responsabilidades. La gente podría confiar en que los políticos de la siguiente ola tendrían una actitud de servicio, no una tendencia al ego.

Este es un mensaje que se relaciona con permanecer en el flujo. No tiene que ver conmigo, contigo o con Nelson Mandela; tiene que ver con lo que fluye a través de todos nosotros, si decidimos prestarle atención, y ese flujo es más grande que nosotros. Somos sus siervos.

Cuando vemos que ese flujo implica que nosotros somos, en diversas formas, sus subordinados, reformamos nuestra manera de entender lo que está pasando. Es necesario prestar atención a las inspiraciones que vienen de la zona del flujo. Una vez más, el mitólogo Joseph Campbell aborda esto con mucha sabiduría, y a lo largo de sus obras lo llama "el llamado". Nos dice: cuando llega el llamado, deberíamos prestarle atención, ya que "podría no volver a llegar". Ese es un concepto mucho más apremiante.[4]

He trabajado con algunos escritores y biógrafos que sentían que no habían respondido a su primer llamado para ser escritores, actores o músicos porque temían seguirlo. Sus temores normalmente se relacionaban con el dinero o con las expectativas de la familia. Para algunos, el llamado nunca más se repitió, y han escrito lamentándose por lo que sienten que han perdido. El llamado fue una invitación a acercarse más al espíritu creativo que es el centro del universo. Tal vez nunca se repita, pero no todo está perdido. Piensa en ello como si alguien te invitara a una fiesta. Quizás piensas en ello y decides quedarte en casa. O quizás solo tienes dudas y llegas tarde. O posiblemente solo vas cuando un amigo o amiga te llama y te pregunta por qué no has llegado. Al final vas. Hacerlo en esta forma no es tan divertido, pero de todos modos participarás en ella. Existen muchas formas de avanzar.

Podría ser un llamado a la vida creativa o un llamado a servir a nuestros semejantes, pero lo importante en cada caso es renunciar al intento de controlar las cosas. Eso viene del dominio que imaginamos en el mundo físico del ego. Creemos que estamos a cargo de las cosas. Pensamos que estamos al control. ¿Pero cuánto controlamos en realidad? Enciende la televisión y ve las víctimas del último desastre natural: un terremoto, tal vez, un accidente de trenes, un tsunami. ¿Cuánto control tuvieron esas personas en realidad? Muy poco. Lo único que podemos controlar es nuestra reacción a estos desastres. Podemos regular lo que sentimos y la forma en que organizamos nuestra vida después de ellos. Eso es todo. Tal vez esto parezca aterrador, pero solo será una causa de temor si queremos interpretarlo en esa forma. Por el contrario, podría verse como un recordatorio de que existe un flujo, un flujo que es más grande que nosotros.

Pero esto no es lo mismo que estar indefenso. Esa es la respuesta usual de la persona que piensa en términos de "blanco o negro" que dice: si no estoy al control, entonces todo debe estar más allá de mi control. Esto es lógicamente erróneo, como estoy seguro lo puedes ver. Tenemos que tratar de establecer cuánto control o cuanto flujo de entrada podemos tener en realidad. ¿En qué punto estamos en relación con esta continuidad entre la pasividad y el control total?

Será difícil determinarlo, a menos que tengamos una línea de comunicación directa con el Todopoderoso. ¿Cuánto control tiene un ave sobre las corrientes de aire? No mucho. Pero aprende a usarlas.

Quizás una vez más necesitaremos algo de ayuda por parte de la literatura y las leyendas. La literatura siempre ha sido una forma en que las personas descubren perspicacias sobre sí mismas y se entienden mejor. Carlos Ruiz Zafón expresa este concepto con elegancia cuando hace que uno de sus personajes diga:

> Un relato es una carta que el autor se escribe a sí mismo para decirse algo que sería incapaz de descubrir en otra forma.[5]

Con frecuencia, solo cuando tratamos de escribir o de explicar algo a otra persona, descubrimos lo que es importante y valioso en lo que tenemos que decir. Descubrimos nuestros significados al tratar de expresarlos. Para el lector este proceso es ligeramente similar, como lo expresa Ursula Le Guin, escritora de ciencia ficción:

> Leemos libros para averiguar quiénes somos. Lo que otras personas, reales o imaginarias, hacen, piensan y sienten es una guía esencial para nuestra comprensión de lo que nosotros somos y de lo que podremos llegar a ser.[6]

Veamos algunas versiones de este problema específico del destino que la gente ha considerado verdaderas a lo largo de los siglos. Nos podrían dar claves sobre la forma en que el destino opera en nuestra vida. Lo que encontremos resultará ser extraordinariamente constante.

En la Grecia clásica, se pensaba que la sociedad estaba formada por seres humanos y que sobre ellos había un panteón de dioses y diosas que vivían en el Monte Olimpo y tendían a cometer errores tan desastrosos como los que podía cometer cualquier persona. Se entrometían y se enredaban en los asuntos humanos y luchaban y peleaban a causa de los resultados. Además de los dioses del Olimpo, había profetas y oráculos cuyas profecías eran inevitables, ni siquiera los dioses podían evadirlas, pues estaban sujetos a las mismas fuerzas del destino que los seres humanos. Por consiguiente, cuando los estadistas y los reyes griegos necesitaban guía, visitaban los oráculos y lugares como Delfos, en lugar de orar a los dioses. Se tenía la creencia de que existía un destino enorme, poderoso e inmutable, y un destino menor, más limitado, que podía alterarse mediante la oración.

Tal vez el ejemplo más impactante de una persona que quedó atrapada en este concepto del destino, es Edipo, con quien el destino fue específicamente cruel, como tal vez lo recordemos: Edipo cree que la suerte le ha sonreído, haciéndolo Rey de Tebas. Sin embargo, años antes, el oráculo le había anunciado a su padre que Edipo se casaría con su madre y asesinaría a su padre. Horrorizado por esto, su padre tomó medidas para ordenar la muerte de Edipo; no sabía que el niño recién nacido había sido rescatado de la ladera de una colina donde lo habían abandonado para que muriera. Cuando Edipo creció, escuchó hablar de la profecía según la cual él mataría a su padre y se casaría con su madre. Él no sabe que es adoptado. Así que huye de la familia que él cree es su familia... y va directamente a cumplir la profecía. No puede evitarse.

En la tradición cristiana tenemos una serie de ideas similares. Incluso Jesús, el hijo de Dios, no pudo escapar de su destino en la cruz. De modo que parece haber una orden divina que es más poderosa que todo lo demás. Esto se refleja en relatos bíblicos como el de Jonás y la Ballena.[7] Dios le dice a Jonás que vaya a Nínive. Él se rebela ante esta idea y va a Jope y luego viaja en barco hacia Tarsis. Estando a bordo del barco, se presenta una tormenta y la tripulación echa suertes y descubre que el culpable de la tormenta es Jonás. Como Jonás admite que está desobedeciendo a Dios y la tripulación es incapaz de llevar la nave a puerto seguro, acaban siguiendo los consejos de Jonás y lo lanzan por la borda para así acabar con la tormenta. Entonces, se lo traga una ballena. Pasa tres días dentro de la ballena que luego lo vomita en una playa justo frente a Nínive; exactamente donde Dios le había dicho que fuera.

Aquí, el mensaje obvio es que uno *no* puede rebelarse contra Dios o contra el destino. La siguiente parte de la historia es incluso más interesante, pero es una parte que la mayoría de las personas olvidan. Cuando Jonás está en Nínive, Dios hace que profetice que "en cuarenta días Nínive será derribada". El efecto de sus palabras es tan fuerte que la gente decide ayunar y pedirle a Dios que salve a la ciudad. Hasta el rey se viste de saco y cenizas, orando por su ciudad. Al ver esto, Dios decide salvar la ciudad y sus habitantes. ¿Cuál es la reacción de Jonás? Le molesta que Dios no cumpla la profecía al pie de la letra y se va al desierto contrariado. Nínive fue "derribada", aunque no en la forma que Jonás imaginaba.

Cuando vemos el relato en esta forma, podemos entenderlo como una meditación sobre la forma en que opera el destino y sobre la forma en que la voluntad de Dios se lleva a cabo en formas que podrían sorprendernos. Cuando la ciudad de Nínive se arrepiente, Dios no necesita destruirla, así que no hay razón para apegarse literalmente a la profecía, en especial porque solo es la interpretación literal de Jonás. De hecho la ciudad fue "derribada", pero no por el fuego. El destino se cumplió, pero no en la forma esperada.

Si vemos este episodio como historia (lo que es poco probable ya que nadie sobrevive si se lo traga una enorme criatura marina), entonces lo único que tenemos es un relato extraño. Pero si lo vemos como una metáfora sobre la forma en que opera Dios o el destino, podría tener algo que decirnos en realidad.

De hecho, este breve relato está lleno de significado por la forma en que nos muestra que los sucesos se desarrollan en formas que no halagan el ego de los individuos involucrados. Piensa en los seguidores de Jesús que esperaban que "El Reino de Dios" apareciera y quedaron desilusionados cuando no vivieron una restructuración política en la que tuvieran poder. El rótulo de burla que se clavó en la cruz: "Jesús Nazareno, Rey de los Judíos" (que normalmente aparece con sus siglas en latín INRI) muestra que la gente no obtuvo lo que esperaba. Sin embargo, el mundo cambió, como lo sabemos. Jonás quiere que la palabra de Dios opere en la forma que él imagina que debe operar, literalmente y tal como se dijo: pero la palabra de Dios opera como necesita hacerlo. El detalle de que Jonás pase tres días en el interior de la ballena es una indicación muy elocuente de que deberíamos relacionarlos con los tres días que Jesús estuvo muerto y sepultado después de la crucifixión. Esto parece decirnos que el destino no está aquí para gratificar a nuestro ego, sino para impulsar un proceso de mayor magnitud. Pero solo podemos ver esto si leemos la historia de Jonás como una metáfora y la vemos en su totalidad en lugar de solo concentrarnos en la primera parte.

Esta es una de las cosas más difíciles de entender para la gente hoy en día, y también es problemática cuando se trata de la religión. Es probable que la mayoría de las personas alrededor del mundo lean sus textos sagrados favoritos y traten lo que dicen como verdades literales. De hecho, como bien lo sabemos, muchos de estos textos son metafóricos. La creación del mundo en seis días y el Jardín del Edén no son importantes como hechos: son importantes como metáforas que nos permiten entender lo que está detrás de ellos, y sería conveniente que los consideraras como una forma de explorar nuestra relación con la divinidad.

Escribo esto sabiendo muy bien que hay un Museo de la Creación en Petersburg, Kentucky, cuya intención es mostrar la verdad literal de la Biblia; incluye maquetas que muestran a Adán y Eva velados discretamente por la vegetación, como de hecho estaban en el Jardín del Edén hace solo seis mil años, como lo aseguran los encargados del museo. Todo eso está muy bien, pero restringe en gran medida nuestra comprensión si decidimos aceptar este punto de vista rígido. Nos presenta una interpretación específica del texto en una forma que no nos permite cuestionarla. Remplaza la espiritualidad con los dogmas religiosos. Se pide al espectador que acepte y sea pasivo, que no piense ni se haga preguntas. Tal vez también nos gustaría recordar esto cuando pensamos en lugares como "La Experiencia de Tierra Santa" *The Holy Land Experience* en Orlando, Florida, que presenta actuaciones de escenas bíblicas y actividades relacionadas a lo largo del día.[8]

En la actualidad, hay muchas discusiones sobre el 2012, que según el calendario maya marcará el fin del mundo. Esta es una idea interesante, ¿pero qué pasaría si no es un hecho sino una metáfora? ¿Qué pasaría si el 2012 resulta ser un periodo en el que habrá un cambio espiritual que equivale al final de las formas establecidas de hacer las cosas? Si el fin del mundo es un hecho, entonces motivará cierto conjunto de respuestas; si es una metáfora, causará otra reacción enteramente distinta. De hecho, como metáfora podría ser profundamente inspiradora y despertaría voces que han estado en silencio hasta ahora para que se expresaran y fueran parte del cambio.*

Es probable que los mitos, las leyendas, la sagrada escritura y la literatura sean los indicadores más confiables de la forma en que podemos ver este tema del destino, pero no podemos darnos el lujo de volvernos rígidos en la forma de considerarlo.

---

* Se conserva el texto original escrito en el 2011.

Nunca ha sido fácil discutir sobre el destino, pero a menudo se ha descrito con gran emoción. Consideremos a Hamlet, el personaje de ficción más famoso en la literatura occidental, y posiblemente en la literatura universal. La historia de Hamlet es bien conocida. La narra un fantasma, que Hamlet cree que es el fantasma de su padre, cuya muerte él debe vengar. El asesino es su tío, que ahora se ha casado con su madre, ha asumido el trono y ha obligado al Príncipe Hamlet a quedarse en Dinamarca prácticamente bajo arresto domiciliario. ¿Qué puede hacer? Esa es, por supuesto, la pregunta con la que lucha en el famoso soliloquio sobre "ser o no ser". No encuentra respuestas. De hecho cuanto más piensa en ello, más preguntas tiene.

Pero una vez más, el problema de Hamlet no es solo la situación sino la *forma* en que él formula sus preguntas. ¿Qué acción debe tomar, la A o la B? ¿Matar a Claudio o suicidarse? Ambas llevan a una muerte segura. Si se suicida irá al infierno... al menos según las creencias del siglo XVII. Si mata al rey es casi seguro que lo arrestarán, así que es una forma de suicidio. Esta es una situación en la que es imposible salir ganando. No obstante, Hamlet nunca se detiene a pensar: *Todavía no tengo que hacer nada*. En lugar de eso, anda por ahí fingiendo estar loco, o tal vez cayendo gradualmente en la locura, y pone en marcha una cadena de reacciones que causan muchas muertes, incluyendo la suya. Al final de la obra, todos los que se involucraron en la acción están muertos, el reino se limpia y reciben lo que merecen, incluso Hamlet. Después de todo, él asesinó a Polonio, así que su recompensa es la muerte. Se podría decir que hubo justicia para todos.

Pero si se ve desde otra perspectiva, se podría decir que la obra es una consideración sobre el destino y el hado, y que el problema de Hamlet es que trata de luchar contra el destino. Piensa, al menos al principio, que tiene que asumir el control. Si la obra tiene un mensaje para nosotros, podría ser que el destino llegará a la conclusión que se necesite llegar. Es como decir que el tren del destino avanza por ciertos rieles y llegará a su destino, pero que como pasajeros en ese tren podemos elegir la forma en que nos comportamos en el tren. Podemos transformar el viaje en un infierno si lo deseamos (que es lo que Hamlet decidió hacer), o podemos optar por comportarnos bien y confiar en que el destino girará su rueda del karma hacia donde necesite girarla.

A lo largo de nuestra vida, hemos visto regímenes malignos colapsarse desde dentro (piensa en la antigua Unión Soviética y sus estados satélite). Sabemos que el mal tiene una forma de desplomarse sobre sí mismo. El problema es que mientras esperamos a que se desplome, millones de personas sufren. Entonces, ¿es la paciencia una virtud o una oportunidad perdida? El Dalai Lama ha dicho, una y otra vez, que la no violencia es el único camino, y ese es un mensaje que han apoyado Mahatma Gandhi, el Dr. Martin Luther King, Jr., Nelson Mandela, Jesucristo, Moisés y otras personas.

Me gustaría señalar que es casi seguro que la no violencia sea el mejor camino, y eso no significa no hacer nada. Por el contrario, significa que debemos permitirnos ser parte del flujo para actuar sin violencia y al mismo tiempo estar conectados con la energía creativa y generadora del universo. No somos inmóviles; nos motiva una serie diferente de valores que requieren tanta energía como la rebelión y la resistencia.

Al final de la obra, Hamlet ha aceptado este punto de vista tan diferente. Se pone en las manos del destino. Declara: "Hay una divinidad que da forma a nuestros fines, sin importar lo que hagamos",[9] aceptando que lo que suceda será perfecto. Esa es una excelente actitud budista, aunque dudo que Shakespeare supiera lo que es el budismo.

Este es un punto de vista que enfrentará muchos retos. ¿No deberíamos haber reaccionado a los ataques terroristas del 11 de septiembre? ¿Deberíamos habernos dedicado simplemente a tareas creativas en lugar de haber reaccionado?

De nuevo, aquí no hay una respuesta fácil; no hay una opción clara. Una vez más, la pregunta parece forzar la respuesta. Quizás podríamos señalar que, como nación, elegimos poner en acción ciertos sucesos a lo largo de los 40 o 50 años anteriores y que esos sucesos llevaron, a la larga, a la clase de terrorismo que actualmente estamos tratando de contener. En cierta medida, participamos en el proceso que causó que algunas personas peligrosas se volvieran mucho más peligrosas, mucho más iracundas de lo que eran, y no las escuchamos. Ahora, ellas tampoco están dispuestas a escucharnos.

Si simplemente nos concentráramos en un hecho histórico importante que precipitó una respuesta violenta, como los ataques terroristas del 11 de septiembre, o el bombardeo japonés contra Pearl Harbor, o el hundimiento del *Lusitania,* o el asesinato del Archiduque Fernando, estaríamos distorsionando nuestra comprensión de estos hechos. Esos sucesos fueron el resultado de una serie de sucesos que llevaron hacia ellos. No podemos aparentar que fue de otra manera. El deseo de venganza es muy natural, pero es un deseo de corregir algo que iba mal mucho antes de que ocurriera el suceso que motivó la respuesta.

La lección que podemos aprender de esto es una lección que podremos aplicar en nuestra vida. El compañero que nos deja o nos traiciona no lo hace sin razón. Eso siempre es el resultado de una larga serie de acciones y descontentos anteriores que no se expresaron en forma alguna; entonces ocurre una acción decisiva que significa que ya no podemos evitar prestar atención a esa situación. Pasa exactamente lo mismo en todo tipo de situaciones que pudiéramos imaginar. El adolescente que se vuelve destructivo o está fuera de control, no es un caso diferente en esencia.

La lección que recibimos es que el destino es demasiado real. Como no podemos predecir el curso específico que tomará, tenemos que asegurarnos de trabajar para ser lo mejor que podamos ser, al sentir que nuestro mundo se mueve hacia ese destino. Piensa en ello así: nacemos y sabemos que vamos a morir; entre esos dos hechos, podemos elegir la forma en que viviremos. Podemos elegir respetar a otros y fomentar más amor y paz. O podemos elegir no respetarnos, no respetar a otros y crear un entorno negativo. Podemos maltratar nuestro cuerpo comiendo o bebiendo demasiado, y en el proceso, reducir nuestra vida. Pero esto no va a alterar el destino general del planeta. Los malhechores más nefastos tienen una forma de hacer que otros, como una reacción, se vuelvan más compasivos, más valientes, y más generosos. Como muchas otras personas son testigos de ejemplos positivos, también se sienten motivados a imitarlos. El mal tiene una forma de crear el bien, aunque no lo quiera. Eso también es un aspecto de la naturaleza del flujo.

Al final, nos enfrentamos a cierta clase de muro porque, como meros seres humanos, simplemente no podemos ver a suficiente distancia como para ser capaces de juzgar, en forma definitiva, cómo funciona el destino. Y eso es importante, ya que si conociéramos el resultado en forma definitiva, no tendríamos la libertad de elegir la forma en que vamos a manejar el aquí y el ahora. Nos limitaría el resultado final hacia el cual nos dirigiríamos.

Pero lo que parece estar presente en la literatura y en los mitos, es un sentido de que el mal no triunfa durante mucho tiempo, y de que el destino hace que las cosas resulten como necesitan resultar, aunque en ese momento no parezca que puedan resolverse. ¿Es esto simplemente un consuelo que necesitamos para poder sobrevivir cada día? Tal vez. También podría ser una creencia construida en forma deliberada, formulada por los poderes dominantes a lo largo de la historia como una forma de evitar que las masas hacinadas se quejen demasiado. Esto parece menos probable. Es cierto que las naciones han construido mitos nacionales para unir a sus poblaciones, pero en general estos mitos se han desvanecido con rapidez. Han sido demasiado crudos para tener una resonancia imaginativa, para la mayoría de las personas o para parecer verdaderos durante mucho tiempo. De una u otra forma, seguimos regresando a este optimismo básico, a esta confianza de que el destino nos llevará a algún lugar y que nosotros debemos ser parte del proceso.

Cuando reconocemos esto, cuando renunciamos a nuestro mundo de control y de logros personales que se basa en el ego, estamos de acuerdo en escuchar lo que está ocurriendo y ser parte del flujo de la sincronía. Quizás la existencia del flujo es la experiencia subjetiva que nos comprueba que en realidad existe una fuerza mayor en el universo, aparte de nosotros. Aquellos que nunca se han aventurado a entrar en este flujo, no sabrán de lo que estamos hablando y no nos creerán. ¿Cómo podrían creernos? ¿Cómo podrían conocer, de primera mano, ese sentido de que cierta fuerza nos guía en los detalles pequeños y en las cosas grandes, es el empujoncito que nos dice que tomemos esta idea y escribamos sobre ella, o que hagamos arte en cierta forma, o un número indefinido de impulsos irracionales, pero productivos. Para quienes nunca han sentido una inspiración, solo existen consideraciones prácticas. Para el resto de nosotros, existe el flujo.

12
Negar el flujo
El papel del corazón

Todos podríamos elegir negarnos a reconocer el hado o el destino. Regresando a Hamlet, él simplemente podría haber decidido aceptar la toma inmoral del poder en el reino por parte de su tío, hacerse su cómplice incondicional y como resultado vivir cómodamente y en la riqueza. Pudo haber sido un colaborador, como lo fueron tantas personas cuando los nazis tomaron el poder en Europa, por ejemplo. Esto habría sido la forma más deshonrosa de oportunismo. También habría sido un rechazo a responder a partir del aspecto más positivo de su capacidad consciente. Pero Hamlet recibe un llamado, siente que debe hacer algo. Como hemos visto, él responde en la forma menos provechosa. Lo que no entiende es que hacerse a un lado, salirse de la corriente del mal, no es lo mismo que rechazar el llamado a la acción. A veces, eso es lo único que podemos hacer, al menos durante cierto tiempo.

Todos tenemos la opción de negarnos a actuar a partir de nuestro mejor centro, el centro más vital. En uno de mis talleres participó un hombre de 70 años que acababa de jubilarse. Había sido ingeniero, y me dijo que siempre había querido escribir poesía, pero que no lo había hecho desde que tenía 22 años de edad. Quería empezar a hacerlo ahora.

Bueno, yo no quería desanimarlo, pero a lo largo de todos esos años él apenas había escrito una línea, y había leído menos. Lo peor era que cuando hablamos, él no tenía idea de lo que quería comunicar. Era obvio que adoraba las palabras. También era obvio que había elegido una vida segura con un buen empleo en el que recibía aumentos de sueldo con regularidad, en lugar de elegir el camino riesgoso de dedicarse a la actividad que él disfrutaba. El problema es que la poesía no puede adoptarse como actividad solo porque a uno le gusta. Y así como el cuerpo se desgasta, también se desgasta la capacidad del cerebro para asumir nuevas tareas. Por ejemplo, a esa edad él no habría podido llegar a ser un excelente atleta. Simplemente era demasiado tarde. Además, en lo que concierne a la escritura, lleva tiempo refinar la destreza. Keats es famoso por haber dicho que habría tenido que escribir cuatro mil líneas de un poema largo (el resultado fue *Endymion*) antes de poder alcanzar su verdadera capacidad como poeta. Este caballero de edad no tenía el tiempo y no había practicado con constancia. Intenté animarlo, pero poco después ambos entendimos que él tendría que dejar que su sueño se desvaneciera.

El dejar de actuar es aún más sorprendente porque el universo tiene una forma de enviarnos la misma lección una y otra vez hasta que podamos entenderla. De modo que se podría decir que estas oportunidades nunca se desvanecen. Para dar solo un ejemplo, cualquier padre o madre de familia sabe que si uno no establece algunos conceptos básicos cuando sus hijos son muy pequeños, la confusión que esto produce en su mente solo se expresa en forma más poderosa conforme los hijos crecen. Entonces tienes otra oportunidad de establecer los límites necesarios. Y si eso no sucede, entonces los hijos desafían los límites y en ese momento tienes otra oportunidad.

He visto esto de primera mano. El niño de tres años que sabe que siempre puede salirse con la suya porque sus padres no imponen límites llegará a ser un preadolescente que cree que las reglas no se aplican a él. Si los padres no responden a esto, o a las entrevistas entre padres y maestros que por lo general acompañan a esta situación, entonces el preadolescente realmente cree que las reglas no le aplican. Y es probable que durante la adolescencia el joven que no cree que los acuerdos y las leyes sociales tengan algo que ver con él se meta en todo tipo de dificultades. A la larga, estos chicos pueden incluso acabar en correccionales, tras las rejas; y luego finalmente podrían captar el mensaje. Si los padres no pueden aprender, el hijo también sufre.

En estos casos, se podría decir que el mundo ha proporcionado muchas y repetidas oportunidades para un cambio. De manera similar, a menudo, cuando somos muy jóvenes, recibimos el mensaje del corazón que nos indica quiénes somos. A una edad muy temprana, sabemos que nos fascina dibujar, pintar, leer o hacer deporte, y seguimos ese camino sin saber exactamente hacia dónde nos lleva, pero lo seguimos y lo exploramos felices.

Si esa ambición no nos motiva, tal vez pueda volver a hacernos ese llamado años más tarde, y cuando tenemos aproximadamente 15 o 16 años, nos será fácil responder a él. Pero después de esa edad las cosas se vuelven un poco más complicadas. Tal vez tengamos amigos que esperan que seamos cierto tipo de persona y que sigamos un curso de acción diferente. Eso podría hacer que nos sintiéramos solos y aislados. A medida que avanzamos en edad, conseguimos un trabajo, tenemos un novio, una novia o un esposo o una esposa, y luego llegan los hijos, desarrollamos una carrera profesional y con cada año que pasa nos parece más difícil desprendernos de todo esto y ser nosotros mismos. Acabamos aceptando lo que otros piensan que deberíamos ser porque nuestra confianza en nuestra propia determinación se ha mermado.

Cuando eso sucede, estamos atrapados, o para decirlo con mayor precisión, nos hemos atrapado a nosotros mismos. Cuando nos convertimos en nuestros propios carceleros, es muy difícil recuperar la libertad. El primer proceso, la vida de un niño rebelde, no es totalmente consciente en esencia. El niño rara vez es feliz saliéndose de control, pero no está consciente de poder hacer mucho al respecto. Este segundo proceso, por el contrario, es un proceso en el que sí tenemos opciones, pero nuestra comprensión consciente de lo que el mundo espera de nosotros supera lo que somos en realidad.

Una vez más, estamos en el filo de la navaja, en una situación muy complicada. Cuando somos jóvenes, necesitamos la guía de nuestros padres para que nuestro ego no se salga de control. Y cuando avanzamos un poco en edad, necesitamos menos control por parte de nuestro ego y de otras personas, y necesitamos estar más conscientes de lo que más nos gusta hacer. Esto viene del corazón, pero también necesitamos que el ego nos ayude a equilibrar nuestra vida para que podamos hacer lo que deseamos y en esa forma podamos cumplir con nuestro destino.

Con frecuencia, es fácil que otras personas se percaten del hecho de que alguien está negando el flujo y ha perdido la oportunidad de aprender, pero la persona que perdió la oportunidad no puede verlo en absoluto. Este es un ejemplo reciente. Una de mis estudiantes vino a verme un día hecha un mar de lágrimas y me dijo que su novio la había golpeado. Hablamos largo y tendido, y le aconsejé que nunca volviera a ver a ese muchacho y que se mantuviera en contacto conmigo para que yo pudiera estar pendiente de ella.

Al día siguiente, me mandó un correo electrónico para decirme que no asistiría a la siguiente clase. Resulta que ese día se presentó una oportunidad inesperada porque una mujer de una de mis otras clases vino a hablarle al grupo sobre relaciones en las que hay abusos, de las que ella había sobrevivido. Fue una presentación muy conmovedora, y yo hubiera deseado con todo el corazón que esta joven, que se suponía debería estar ahí, y que se estaba enfrentando a un problema exactamente igual, se hubiera armado de valor y hubiera asistido a la clase. En lugar de eso, estaba en casa, sollozando y haciendo planes para volver a ver al hombre que había abusado de ella.

Son incontables las veces en que este tipo de cosas han ocurrido. Los sucesos en sincronía están por todas partes, pero debemos abrir nuestros corazones a lo que está pasando y correr el riesgo de ser vulnerables y no escondernos. Abrir el corazón es otra forma de decir que necesitamos actuar a partir de un lugar que no se basa en el ego; y sentirnos como una víctima a veces puede ser una postura mental proveniente del ego, pues nos permite culpar a otros. Como ya hemos visto, el descenso al yo nos muestra cómo podemos despojarnos de las fijaciones del ego. Cuando desaparecen, veremos cómo nosotros mismos ayudamos a crear las situaciones en las que nos encontramos. Entonces aprendemos de ellas y las dejamos ir. Ahora necesitamos ver otro camino por el cual avanzar, un ascenso tan difícil como el ascenso de Dante hacia el Cielo, que nos indica cómo podemos usar más plenamente nuestro sentido de compasión.

El papel del corazón

Una de las mejores formas de describir este ascenso es referirse a la idea de los chakras, esta es una palabra en sánscrito que significa "rueda" y se refiere a los centros de energía que se describen en la medicina de la India y en el Ayurveda, y que son una parte integral de la práctica del yoga.

Según este sistema, hay siete chakras distribuidos a lo largo del cuerpo y alineados con la columna vertebral. En el yoga, una práctica antigua que literalmente significa "unión de la mente, el cuerpo y el espíritu", la tarea es desenrollar la serpiente de la energía de los chakras, el kundalini, que yace latente en la base de la columna vertebral, y permitir que se extienda y se eleve plenamente, hasta llegar a la parte superior de la cabeza. Es una metáfora, nadie cree que en realidad haya una serpiente en nuestro cuerpo, pero es una descripción muy elegante.

Un estudio de los chakras en toda su complejidad ciertamente requeriría un libro, ya que cada chakra corresponde a un nivel de conciencia físico, mental, emocional y espiritual. Para nuestros propósitos, quiero hacer un esbozo general de la forma en que funcionan en relación con el progreso espiritual a medida que la conciencia del individuo asciende a través de la secuencia. Esta necesariamente será una descripción incompleta. Lo que encontraremos es que el chakra del corazón es el punto medio de transformación en este proceso.

El chakra más bajo, el primer chakra, está al nivel del ano, y se relaciona con los retos de la supervivencia y los instintos. La seguridad es importante en este nivel.

El siguiente chakra está bajo el ombligo, al nivel de los genitales, y se relaciona con el sexo, la familia y nuestras relaciones. Todos estamos familiarizados con este chakra, porque para muchas personas el sexo puede llegar a ser un impulso que lo consume todo, pero también se relaciona con el dinero, la creatividad y el yo en relación con otros. Pero el primer y segundo chakras se relacionan con la pertenencia y están bajo la fuerte influencia de las condiciones externas. En lo espiritual, el segundo chakra es el centro que rige el entusiasmo y el gozo.

El tercer chakra está en el nivel del plexo solar, entre el esternón y el ombligo, y también se relaciona con obtener, conservar y disfrutar, pero en lugar de simplemente concentrarse en los objetos de placer, es un impulso más general hacia el poder y el crecimiento personal. Estos tres chakras son parte de lo que vemos en el mundo físico en el que progresamos, ganamos dinero, desarrollamos una carrera profesional, encontramos pareja, y demás. Son importantes, pero espiritualmente están limitados.

El cuarto chakra es el del corazón. El corazón es la sede de las emociones, pero puede estar al servicio de los chakras inferiores, de las emociones relacionadas con las ganancias y el estatus, o puede estar al servicio de los chakras superiores, en cuyo caso el corazón tiene la capacidad de abrirse a una mayor compasión. Esta capacidad de sentir algo por otros y de conectarse con ellos y con su bienestar, es muy diferente a los valores que se orientan al yo y se relacionan con obtener cosas y conservarlas para ser aceptado por el grupo, y eso es lo que vemos en el primer y segundo chakras. Es obvio que no podemos tener el orden superior sin tener los órdenes inferiores en los que se apoya, así que todos ellos son aspectos importantes de lo que somos.

Cuando el corazón empieza a abrirse de par en par, puede mostrar su verdadero poder. Por encima de él está el chakra de la garganta que se relaciona con la voluntad de expresar la compasión que siente el corazón. No solo sentimos el amor; descubrimos que tenemos que expresarlo y hablarle de ello a alguien. En este nivel, confiamos en el amor y en el poder divino del universo, más que en nuestros propios esfuerzos. Esto significa que el cuarto chakra, el del corazón, no solo está a la mitad del cuerpo, a la mitad de la secuencia de los siete chakras, sino que es un punto medio simbólico y una puerta hacia el yo superior que puede aceptar el flujo. Es un punto esencial que tiene que alcanzarse para que podamos ser plenamente quienes necesitamos ser.

El chakra del corazón aparece en diversas formas en muchos mitos y leyendas. Por ejemplo, según la leyenda, el Buda nació saliendo del costado de su madre, cerca del chakra del corazón, y esto seguramente nos recuerda a Eva, que nació de la costilla de Adán. Es un detalle curioso. Después de todo, si los deseos generadores de Dios pudieron crear a Adán directamente, ¿por qué no a Eva? ¿Por qué fue necesario quitarle una costilla? Esta historia señala un nacimiento virginal simbólico que se basa en la igualdad y en el corazón.

Si buscamos otros nacimientos virginales en otras religiones, encontraremos muchos. En el Capítulo 8 ya señalamos que los mitos de los amerindios contienen muchos nacimientos virginales y que en los mitos europeos tenemos los extraños ejemplos de Atenea y Dionisio. Dionisio fue arrancado del útero de su madre y cosido al muslo de Zeus. Como a su debido tiempo él surgió como el dios del abandono sexual y las experiencias extáticas, el muslo, que está cerca de los genitales, se considera un buen lugar para que él terminara su periodo de gestación. Atenea, la diosa virgen que brotó por completo armada de la cabeza de Zeus, fue una criatura totalmente distinta, como era de esperarse al tratarse de una diosa que nació de la cabeza de su padre. Ella era racional y tranquila y se le relacionaba con los propósitos académicos y bélicos. Justo como sería de esperarse.

Por tanto, en la mitología griega tenemos nacimientos virginales que se relacionan con partes del cuerpo que están por encima o por debajo del corazón, lo que parece indicar la necesidad de equilibrar estas cualidades. El juvenil e indisciplinado Dionisio, que con frecuencia aparece desnudo, es exactamente lo opuesto a la joven y virginal Atenea, que es recta, ordenada y viste una armadura.

Si pasamos a la iconografía cristiana, podemos añadir a esto la imagen de Jesús que se encuentra prácticamente en todas las iglesias y santuarios. Es una imagen en que Jesús está sentado en el regazo de su madre, al nivel del corazón, y en ocasiones ella lo está amamantando. Podemos ver esto como una representación de la apertura del chakra del corazón ya que él está sentado al nivel del corazón. Es una imagen bella y elegante, pues de cualquier manera, los niños normalmente se sientan en el regazo de su madre, así que la imagen parece familiar y mítica a la vez. Lo mítico brilla a través de lo familiar.

Jesús, por supuesto, vino a la Tierra a abrir los corazones de la gente, así que aquí no estamos exagerando la relación de este hecho con otros. Lo que nos lleva a hacer esta pregunta: ¿Qué transmite en realidad esta clase de nacimiento? Ya lo hemos visto, pero no hemos analizado su significado en toda su extensión.

El nacimiento de Jesús, el nacimiento virginal, no fue un hecho físico en la forma en que entendemos los hechos físicos. La Iglesia Católica ha tenido que trabajar arduamente para que este concepto encaje con las ideas que tenemos del mundo físico. Este nacimiento debe entenderse como una metáfora. El ángel le dice a María que concebirá, y ella concibe, así que el mensaje aquí es que cuando tenemos contacto con el mundo trascendente en nuestra propia experiencia, quedamos "preñados" de energía celestial. Esto ocurre al nivel del corazón. Al paso del tiempo, esto lleva al renacimiento del yo.

Como sucede con cualquier nacimiento, la vida anterior de la madre no vuelve a lo normal después, porque ahora todo ha cambiado. Ella es ante todo madre y nunca volverá a ser simplemente una persona individual. Esto nos dice que cuando experimentamos un hermoso momento espiritual se pone en marcha una secuencia que nos lleva a renacer en lo relativo a quienes somos y al lugar que tenemos en el orden de las cosas. Cuando eso sucede, la vida nunca volverá a ser igual. El Nacimiento Virginal es en realidad una representación de la apertura del chakra del corazón y de los cambios que ocurren después.

La pregunta que se nos plantea es: ¿alguna vez has despertado a tu naturaleza espiritual?

Platón se refiere a esto en su Simposio, donde la sacerdotisa Diotima le dice a Sócrates que "está preñada en el alma". Es exactamente la misma idea.

Cuando se abre el corazón, cambia toda nuestra relación con el mundo. De la misma manera en que la madre es ahora, lo quiera o no, la proveedora de la siguiente generación, nosotros podemos usar esta metáfora para ver que estamos aquí para dar servicio a las necesidades del universo, no a las nuestras.

Cuando entendemos esto, la primavera no es solo la estación en que finalmente podemos guardar nuestras botas de invierno; es un renacimiento para la Tierra, para la vida más amplia en la que todos participamos; y también es una experiencia espiritual porque vemos que el corazón de la Naturaleza también vuelve a abrirse. La Tierra proporciona un nuevo crecimiento a las plantas, las aves regresan, vuelve a haber abundancia de alimentos. Al mismo tiempo podemos elegir ver más allá del hecho en sí y ver los ciclos más grandes de la tierra. Los ciclos de las estaciones ya existían mucho antes de que nosotros llegáramos y seguirán existiendo después de que ya no estemos aquí. Nuestros cuerpos morirán y se desintegrarán, y nosotros nos convertiremos en parte de ese ciclo, de los brotes nuevos que emergen del polvo y las cenizas. La primavera, por lo tanto, nos recuerda el orden mítico y nuestro lugar en él; este lugar no es un lugar del ego.

La Iglesia Cristiana usó esta cualidad mítica, construyendo a partir de religiones más antiguas para lograrlo. No tenemos idea de la fecha en que Jesús fue concebido, y su nacimiento en diciembre es un hecho ficticio, simbólico y amable que tiene que ver con dar esperanza durante el solsticio de invierno, cuando la tierra es más oscura y las noches son más largas. Y la iglesia es muy sagaz con esto ya que la Fiesta de la Anunciación, que es nueve meses antes de Navidad, es en la primavera, la estación en que el mundo despierta. Esto crea un firme vínculo entre la idea del Nacimiento Virginal y este concepto de nueva vida no solo en el útero de la Naturaleza sino en la psique y el espíritu.

El chakra del corazón es, por lo tanto, uno de los chakras más importantes, y aparece en el mundo en varias formas míticas. Es el punto donde ocurre el renacimiento espiritual. En sánscrito hay un símbolo que después tomó la tradición judía; se conoce como La Estrella de David; tiene dos triángulos, uno sobre otro, uno señala hacia arriba y otro hacia abajo. Este antiguo símbolo era el que se ponía sobre el corazón en las imágenes y en el arte, e indicaba que en el nivel del corazón tenemos opciones: vamos hacia arriba con lo que es nuevo, o vamos hacia abajo con lo que es viejo y seguimos la forma en que siempre han sido las cosas. Podemos aceptar el llamado, o podemos rechazarlo.

Este es precisamente el dilema del corazón. Siempre podemos elegir regresar a la forma en que eran las cosas en los chakras inferiores. Estos chakras, cuando están sanos, se encargan de aspectos muy importantes de nuestra vida y necesitamos el equilibrio que proporcionan. La serpiente de la energía de kundalini necesita que cada una de sus partes trabaje armoniosamente. Y sin embargo, la tarea de los tres primeros chakras también es apoyar a los chakras superiores, para que podamos avanzar hacia el espacio nuevo y más compasivo de renacer a nuestras posibilidades divinas. Podemos proteger al corazón, o podemos ejercitarlo más plenamente.

Si regresamos a la secuencia de los chakras, lo que vemos es que el quinto chakra, el chakra de la garganta, tiene la función de expresar con la voz la nueva compasión que se originó en el chakra del corazón. Por encima de él está el sexto chakra, al nivel del "tercer ojo" místico, entre nuestros dos ojos. Este es el punto en que dejamos de ver solo con nuestros propios ojos mortales ya que ahora estamos conscientes de que existe otra dimensión, la dimensión espiritual, que podemos ver internamente. Esta es la razón por la cual los hindúes a menudo tienen un *puja,* o marca de oración, en la frente. Indica que se ha abierto el chakra espiritual de la percepción divina. Pero esto no puede suceder si el corazón no se abre antes. Recuerda que, en el mito, la serpiente tiene que elevarse desde la base de la columna vertebral.

El séptimo chakra, o el chakra de la corona, está en la parte superior de la cabeza y simboliza la conexión con los cielos que están sobre nosotros. En la tradición india, es el portal, un lugar desde el cual enviamos nuestro amor y conciencia espiritual, y también es un punto de recepción a través del cual la energía del universo entra a nuestro cerebro y a nuestro cuerpo. Muestra la forma en que interactuamos con el universo, lo que permite que la energía fluya a través de nosotros, para que estemos alineados con la energía de Dios.

Una vez más, nada de esto puede suceder si no se abre el chakra del corazón. Para nuestros propósitos, esta forma de ver las cosas es poderosa porque nos muestra el papel vital del corazón, y también el hecho de que la cabeza no solo es para pensar y calcular, sino también para recibir inspiraciones y energías que nosotros no creamos. ¡Qué diferente es esto de nuestra forma habitual de pensar en el occidente! Nos hace volver a la idea que examinamos antes de que la oración no es para pedirle algo a Dios, sino tal vez para recibir algo de Dios, porque hemos silenciado al ego durante suficiente tiempo para poder escuchar.

Voy a citar de nuevo a Rumi, el poeta persa, que nos da esta idea inusual de la oración en su poema *"Perros del Amor"*, donde se transmite la misma idea en forma de diálogo:

> ¿Por qué dejaste de alabar [a Dios]?
> Porque nunca he escuchado nada en respuesta.
> Este anhelo que expresas es el mensaje de respuesta.[1]

En este caso, la oración no tiene nada que ver con recuperar algo, sino con un anhelo de cercanía, que es en sí una experiencia sagrada.

Ahora bien, este concepto de los chakras es una descripción real de la forma en que la energía se mueve en el cuerpo. También puede verse como una metáfora, que es como yo lo he estado considerando aquí. Como las metáforas, no es la última palabra sobre nada, es más bien un mapa simbólico para mostrarnos cómo podrían entenderse las cosas. Es un lenguaje para entender la relación entre el corazón y la cabeza que podemos tomar prestada, aprender de ella y amarla. ¿Es un mapa perfectamente preciso? Es probable que nunca lo sepamos; pero podemos decir que parece verdadero en muchas formas, y vemos que les ha funcionado a muchas personas a lo largo de muchos años.

Para nuestros propósitos, necesitamos recordar que el chakra del corazón es la clave para la comprensión en niveles más altos, es algo que puede llevarnos a la armonía con la energía del universo, y por lo tanto, con la sincronía. Si reconocemos el hecho de que el corazón se haya abierto como un momento crucial, entonces todo cambiará. Pero si lo preferimos, podemos ignorar la apertura del corazón. Es entonces cuando negamos el flujo y hacemos que nuestras energías regresen a sus niveles inferiores.

13
Cómo entrar al flujo

La experiencia del flujo falso

Si has leído hasta aquí, es probable que ya conozcas la sensación del flujo a través de una experiencia de primera mano; pero si no lo has sentido durante cierto tiempo, entonces es importante ensayar algunos detalles. Estar en el flujo significa desprenderte de lo que sientes que deberías hacer en una circunstancia específica, y mantener tu mente abierta ante otros caminos hacia delante.

Es obvio que no podemos actuar tontamente en relación a esto. Cerrar los ojos cuando estamos conduciendo un auto para dejar de ejercer control, no es un plan de acción sensato. No obstante, la mayoría de nosotros experimentamos más flujo del que reconocemos. Vamos a comprar ropa y como no estamos buscando algo de manera específica, podríamos encontrar la chaqueta más adecuada. Si eso te sucede, cómprala aunque sea cara. Y si en realidad no puedes darte el lujo de comprarla, haz lo que sigue en eficacia: póntela en la tienda y disfrútala. Hasta podrías sacarte una fotografía en el espejo de la tienda (casi todos los teléfonos celulares tienen una camarita) y disfruta el momento. Al hacer esto, estarás honrando la experiencia del flujo aunque no te puedas llevar la chaqueta. Mándales la foto a tus amigos, disfruta tu hallazgo. Cuando honramos al flujo, recibimos más flujo.

He conocido a muchos músicos que han hecho eso exactamente en las tiendas de música. Entran, tocan un piano o una guitarra de excelente calidad y disfrutan los momentos que pasan haciendo esto, aunque sepan que no pueden comprar estos instrumentos, o al menos no en ese momento. Al disfrutar los instrumentos, están honrando a la música y la experiencia, no la posesión del objeto.

Si quieres ver el flujo en acción, ve un juego de futbol o de hockey. El flujo es menos visible en el futbol americano, en que los movimientos se planean en forma tan cuidadosa que hay menos oportunidades de que surjan situaciones de flujo durante un periodo de varios minutos de juego. Notarás que los jugadores tienen que estar conscientes de lo que está pasando, quién se mueve y dónde, y luego tienen que ver si pueden ser parte del movimiento en general. Estas cosas no pueden planearse. Suceden debido a una respuesta que es casi instintiva. Los jugadores dejan a un lado los planes precisos y establecidos, y avanzan con lo que hay, con lo que parece una buena idea en ese momento.

Permanecer en el espacio mental del flujo

Seamos prácticos. ¿Cómo podemos asegurarnos de permanecer en este espacio mental?

En mi libro, *Write Your Memoir [Escribe tus memorias]*, sugiero varias formas en las que podemos entrenarnos a estar más conscientes y a traer más paz a nuestra vida. Reflexionar sobre quiénes somos escribiendo sobre nuestras experiencias hace que nuestras respuestas sean más lentas para que podamos estar plenamente conscientes de lo que estamos eligiendo. Con frecuencia elegimos algo sin pensar en ello en realidad. Decimos y pensamos cosas que no son caritativas, precisas o justas; incluso sobre aquellos que amamos, solo porque las palabras saltan de nuestros labios con tanta facilidad que las olvidamos rápidamente. Todos han tenido la experiencia de estar hablando y ser interrumpidos por alguien que dice: "¿Puedes repetir eso?", y muy a menudo no pueden repetirlo. Las palabras se mueven con demasiada rapidez. Escribir y luego volver a leer lo que escribimos, puede cambiar esa dinámica, puede hacer que nos movamos con más lentitud, y que seamos más conscientes.

Piensa en el hecho de ser consciente comparándolo con el hecho de no ser consciente. Muchas tiendas nos animan a usar y llenar por completo carritos de supermercado muy grandes. Si los carritos de supermercado fueran más chicos y si tuviéramos que cargar todo en lugar de llevarlo en el carrito hasta nuestro coche, tal vez tendríamos otro punto de vista sobre lo que compramos, y también sobre la cantidad de mercancía que compramos. Pero nuestros hábitos nos adormecen, la música grabada y todo lo que vemos nos arrulla, y estamos más adormecidos cognitivamente cuando llegamos a la caja, ondeamos nuestra tarjeta de plástico y además retiramos efectivo si queremos. ¡Maravilloso! ¡Compramos más de lo que necesitamos y luego alguien nos da dinero! ¡Bravo! Pero semanas después llega el estado de cuenta de la tarjeta y vemos el costo real de la forma en que hacemos las cosas.

La próxima vez que vayas a la tienda trata de pagar en efectivo. Cuenta los billetes y guarda el cambio. Siente que tu cartera va enflacando. Date cuenta de lo diferente que te sientes cuando estás consciente de lo que estás haciendo.

Este proceso es similar a anotar las cosas; te da la oportunidad de pensar en la forma en que vives y la forma en que eliges. Las tiendas que visitamos conocen esta tendencia que tenemos, y trabajan arduamente para convencernos de que gastemos más, consumamos más y reflexionemos menos. Ese es su trabajo. Así es como ganan dinero. Y no les importa si nosotros nos llenamos de deudas, sufrimos, nos desesperamos. Ellos tienen que ganar dinero.

Nos dan una experiencia de lo que yo llamo "flujo falso". Nos ofrecen la ilusión de comprar sin esfuerzo.

No quiero decir que comprar sea malo. Solo quiero indicar que debemos tomarnos tiempo para estar conscientes en la vida; me refiero a estar conscientes de todos los aspectos de nuestra vida y uso las compras como ejemplo. Si no estamos atentos en la vida, de hecho atraeremos problemas en circunstancias en que habría sido fácil que las cosas no llegaran a ser problemas en absoluto. El flujo no puede trabajar a tu favor si estás preocupado por las consecuencias de haber hecho algo que hiciste cuando volabas con piloto automático. Simplemente acabarás luchando contra un sistema que parece estar fuera de control, cuando en realidad tú fuiste quien permitió que se te manipulara para llegar a esta situación peligrosa. Como resultado, lo único que podrás hacer es luchar o tener un colapso hacia la desesperación. Actúa conscientemente y aumentarás tus oportunidades de permanecer en el lugar donde está el flujo.

Las palabras específicas que usamos

Dediquemos un momento a analizar algunas cosas que pueden impedir que estemos en el flujo, o quizás podamos verlas en otra forma; como algo que nos arrastra hacia un flujo negativo.

Nos vamos a basar en la idea de restar velocidad a nuestras palabras y prestar atención a lo que decimos, considerando las palabras específicas que usamos y si son o no apropiadas para una situación en particular. Usar el lenguaje en forma adecuada es una destreza de la vida, por supuesto, y la mayor parte de los primeros doce años de nuestra vida se concentran en encontrar palabras razonablemente adecuadas para los objetos y experiencias cotidianas de modo que los demás nos puedan entender. Pero debemos ser cuidadosos, ya que es demasiado fácil convertir un suceso insignificante en un drama. Para algunas personas dejar caer el café sobre su abrigo más fino se convierte en un hecho significativo, en una "tragedia", un "desastre", un gran contratiempo, cuando en el peor de los casos solo es un detalle inconveniente o vergonzoso. Estoy seguro de que todos conocemos a las "reinas del drama" (y también a los "reyes del drama") que dan una importancia desmedida a hechos ordinarios creando una tormenta en un vaso de agua. Tal vez tú mismo lo haces. Si ese es el caso, hazte algunas preguntas al respecto.

En primer lugar: ¿qué ventaja buscas al crear un drama? Siempre hay una ventaja, de lo contrario nadie haría dramas. Algunas personas convierten esto en una carrera; piensa en los comediantes que transforman los hechos domésticos en risa y diversión. En la televisión y en Facebook constantemente veo auténticos genios, pues la gente comenta incidentes insignificantes como si fueran eventos importantes, y el resultado es cómico. Me digo: ¡Ojalá pudiera yo escribir así! ¡Es genial! Y lo es. La gente comparte placer y recibe alabanzas por hacer esto, y también les produce placer. Y sin embargo, también puede llegar a ser un hábito del pensamiento que te llevará a no desprenderte de incidentes sin importancia.

La única forma de recuperar el equilibrio es cobrar conciencia del lenguaje que usamos y del lenguaje con el que nos rodeamos, el cual a veces empezamos a creer. Si pienso que el hecho de que mi equipo no gane el estandarte es "el fin del mundo", estoy expresando una desilusión, no una verdad. El mundo no se ha acabado. Solo estoy triste, eso es todo.

El problema del lenguaje exagerado es un problema que enfrentamos todos los días a través de los medios de comunicación masiva, donde el entusiasmo de los presentadores exagera los sucesos noticiosos dándoles una importancia excesiva. Un ejemplo es el mal uso de la palabra "trágico", al grado que en realidad ya no sabemos lo que significa esa palabra. A esto podríamos añadir palabras como "desastre", "impactante", "devastación", "horrendo", etc. Si todo es un drama, ¿entonces cómo podremos valorar las cosas?

Ahora bien, podrías pensar que este es un punto sin importancia, pero no estoy de acuerdo. En la actualidad muchas personas no saben lo que sienten, y es muy difícil saber cómo existir en el mundo si no sabes lo que sientes. Por tanto, para algunas personas crear un drama representa un gran alivio, porque entonces sí saben lo que están sintiendo; en ese momento, sienten una extraña mezcla de enojo, desesperanza, molestia, y una ligera depresión pues se dicen: *eso siempre me pasa*. Fíjate en esto. Las cosas "no te pasan siempre", excepto quizás los procesos corporales de la respiración, la circulación de la sangre, etc. Esos procesos vitales, por cierto, no son algo de lo que nos quejemos;

solo nos quejaríamos si se volvieran difíciles o si no sucedieran "siempre".

Así que echemos un vistazo rápido a estas dos declaraciones:

Esto siempre me pasa.
¿Qué significa eso en realidad? ¿Estoy realmente bajo una especie de maldición?

Yo sabía que sucedería en esta forma.
¿Puede ser cierto? ¿Tenías un sentido profético sobre esto que ignorabas? ¿Por qué?

¿Puedes ver cómo estas podrían ser declaraciones familiares que pueden llevarnos a una manera de pensar que normalmente no es productiva? En cada caso, una simple desilusión se convierte en un problema importante o en una queja sobre la naturaleza de la realidad.

El pensamiento budista señala esto de manera muy elegante. El punto central de las Cuatro Verdades Nobles que enseñó Buda es que la tristeza viene de la percepción errónea de la realidad. Un eco de esto, siglos después, podría ser el Hamlet, de Shakespeare, donde esto se expresa en esta forma: "porque nada hay bueno ni malo, sino en fuerza de nuestra fantasía".[1] Como gran parte de nuestro pensamiento se refleja en nuestro lenguaje y el lenguaje siempre es ligeramente impreciso, debemos estar muy alerta a lo que decimos. Podemos hacer que nuestras realidades sean cualquier cosa que queramos porque creemos en nuestras propias palabras sobre lo que son esas realidades. En otras palabras: ten cuidado de no creer en tu propia publicidad.

Esto tiene sobre nosotros un impacto directo ya que las fuentes de información que usamos para formar opiniones sobre nuestra vida a menudo no son confiables. La televisión y los medios noticiosos hacen encuestas que regularmente nos dicen lo que pensamos y lo que aprobamos. Escuchamos los porcentajes y nos sentimos molestos o justificados. De hecho, nos están diciendo en una forma muy cruda cómo nos sentimos. Si estamos o no satisfechos con el desempeño del presidente. Existe muy poca tolerancia por las sutilezas del pensamiento o por el hecho de estar en una posición media. No queremos ni necesitamos que alguien que no conocemos nos diga cómo nos sentimos. Sin embargo, las noticias informan que la "confianza de los consumidores" bajó un 65%, o que Wall Street perdió 100 puntos, o que el 30 por ciento de los estadunidenses no aprueban la forma en que algo está ocurriendo. Estos no solo son informes; son una manipulación poderosamente persuasiva, subliminal, que tiene el efecto de hacer que nos sintamos inquietos, molestos, enojados y tristes... y débiles o despojados de nuestros derechos.

En muchas de mis clases y discusiones, las personas dicen que en la televisión y en la radio siempre hay malas noticias y que las consideran deprimentes. Se preguntan hacia dónde va el mundo. Yo no puedo decir hacia dónde va el mundo, pero puedo decirles a estas personas que apaguen sus aparatos de radio y televisión, y observen directamente lo que es el mundo en realidad. Es inevitable que el ser bombardeado constantemente con malas noticias sea deprimente y pueda hacer que nos sintamos estresados físicamente e incluso que lleguemos a enfermarnos. Lo sabemos. Esta no es la primera vez que alguien ha dicho esto. Pero volvemos a ver las noticias y volvemos a preguntarnos por qué no hay buenas noticias o hay tan pocas buenas noticias.

Hay muchas personas que dicen que esto es parte de una conspiración para hacer que los votantes caigan en apatía. Yo mismo no soy fanático de las conspiraciones, pero puedo ver que estar expuesto al lenguaje negativo en esta forma tiene un efecto dañino en la felicidad humana. También ayuda a vender fármacos. En la actualidad, se prescriben antidepresivos a una de cada diez personas, y una de cada cuatro personas buscan medicamentos en algún momento de su vida. Otras se automedican con sustancias legales e ilegales y es muy difícil determinar las cifras relacionadas con esto.

Las cosas no se vuelven más fáciles cuando vemos el efecto destructivo de estas actitudes. Las personas estresadas e infelices no se tratan con mucho amor. Los padres de familia y los maestros que están llenos de ansiedad y sobrecargados de trabajo les dicen a los niños, ya sea que se trate de sus hijos o de los hijos de otras personas, cosas que los lastiman y hacen que se refugien en la introversión. Después empiezan a creer en estos mensajes que han guardado en su interior. *Soy un inútil para todo, mamá me lo dice todo el tiempo. Mi maestra dice que nunca aprobaré el examen. Nuestra escuela es la peor de toda la ciudad. Vivimos en un vecindario horrible. Esta gente es mala.* Con mensajes como estos en la cabeza, ¿es sorprendente que tengamos escuelas ingobernables y vecindarios problemáticos y llenos de criminales?

Existe una visión de nosotros mismos que es la forma en que nos describimos en el diario vivir; por lo general se basa en la observación. También existe una visión de nosotros mismos que se basa en la forma en que otros nos describen, y nosotros podemos elegir creer que esta visión es verdad. Podría provenir de nuestros padres, nuestros maestros, los acuerdos sociales, los legisladores, los medios, el gobierno. La visión de otros a la larga remplaza a nuestra propia visión de nosotros mismos como la fuente de lo que consideramos verdad.

Tal vez ninguna de estas dos visiones es correcta o exacta.

Nuestra visión de nosotros mismos depende de muchas cosas. Si los seres sensibles viven en circunstancias físicas negativas, si están apiñados, si les falta amor y están bajo críticas constantes, el mensaje que reciben es que el mundo no es un lugar agradable. Si estas son las circunstancias usuales en que vive alguien, ¿cuál crees que será el resultado? Lo llamamos gueto y nos preguntamos por qué las personas que viven ahí están tan intranquilas.

EJERCICIO: Esto es lo que puedes hacer para contrarrestar esto. Escribe un relato breve sobre tu día. Imprímelo a doble espacio. Ahora vuelve a leerlo y busca las frases negativas. ¿Usaste la palabra "no"? ¿Podrías alterarla? Podrías cambiar: "El almuerzo no estuvo mal" por "El almuerzo estuvo bien". Usa bolígrafos o lápices de colores. El azul y el verde son buenos; el rojo no siempre es bueno, a muchas personas les recuerda sus trabajos escolares con comentarios críticos y marcas señalando sus errores. Busca las cosas agradables de tu día. ¿Habló contigo un amigo o amiga? ¿Compartiste un chiste con un colega en el trabajo? ¿Puedes escribir sobre ello en un tono agradable? Si el autobús llegó a tiempo, incluye ese hecho y di que hizo que te sintieras bien.

Cuando termines, lee toda la descripción y tacha las frases negativas para que puedas remplazarlas con frases positivas. Luego pásalo en limpio e imprímelo. Vuelve a leerlo lentamente. ¿Puedes sentir una diferencia?

Una mujer con quien trabajé descubrió, para su asombro, que casi todas sus frases eran negativas. Ella había desarrollado el hábito de decir: "No es que sea yo cautelosa" o "No soy el tipo de persona que..." y otras variaciones de ese tema. Casi no había frases positivas en lo que escribía. El hecho de ver la frecuencia con la que usaba frases negativas, hizo que sonara una alarma en su mente.

Como respuesta a este ejercicio, algunas personas encuentran que dicen cosas como: "las frases positivas están bien, pero...". Yo llamo a esto la trampa de "sí, pero...". Cuando alguien usa esa frase, es una forma educada de decirte que han dejado de escuchar. "Me gusta tu idea, pero..." significa, *odio tu idea y punto*. "Eso está muy bien, pero..." significa: *no, no está bien en absoluto, sin importar lo que sea, y tú, la persona que cree que está bien, eres un idiota*. Debes estar alerta a esta fraseología. Es una forma en que las personas, incluyéndonos a nosotros, se mantienen negativas. Intenta por un momento remplazar el "pero" con "y". ¿Sientes la diferencia?

Este ejercicio podría parecer muy básico, pero debo decirte que cuando lo he usado con las personas que me consultan, a veces a lo largo de varias semanas, las cosas empiezan a cambiar. Las personas ven que hay alegría en su vida, probablemente hay más alegría de la que pensaban, tal vez por el hecho de que hayan tomado el tiempo para identificarla. A menudo llamo a esto "práctica de gratitud", porque eso es lo que es. Es una forma poderosa para romper esos hábitos verbales que nos mantienen dándole vueltas a las minucias de la vida e impiden que descubramos el flujo en alguna de sus formas.

Si haces este ejercicio varias veces y en realidad no puedes encontrar nada que sea digno de valorarse en tu día, entonces supongo que ha llegado el momento de cambiar de trabajo, de cambiar tu lugar de residencia, o tu vida entera. De hecho, cualquier cambio será útil, ya que la forma en que está organizada tu vida definitivamente no tiene nada que ofrecerte. A veces, cuando les sugiero esto a las personas, su respuesta es: "sí, pero..." y eso me dice de inmediato lo que necesito saber. Les gusta ser desdichadas. Eso es lo que prefieren.

Esa es una opción real y debe respetarse. También es necesario señalarle a la persona involucrada que está eligiendo este camino, pero que existen otras opciones. Con frecuencia la respuesta será: "ah, sí, pero tú no entiendes...". Surge el mismo patrón. A menudo no soy yo el que no entiende o no quiere entender. El que no entiende o no quiere entender es el que está rechazando las ofertas de ayuda, y la forma en que expresa el rechazo da a entender que yo soy el que está mal. Yo soy el que "no entiende", así que es obvio que yo soy el que tiene un problema. Este es nuestro viejo amigo, el juego de la culpa, que no logra nada. Si podemos culpar a alguien más, nos exoneramos. Es una forma fácil de evasión.

Una variante de este ejercicio es lo que yo llamo la narración "No soy yo". La tarea es sencilla: escribir un día de la vida de alguien que es totalmente opuesto a ti. La mayoría de las personas refunfuñan cuando se les pide esto, pero poco después empiezan a disfrutar el escribir sobre otra persona que es grosera con su jefe o que no hace lo que se espera de ella. De hecho, la mayoría de las personas empiezan a reírse ante la sola idea de que una persona que "no soy yo" pueda hacer esas cosas. La risa es buena. Reírte de las cosas que haces normalmente para ser aceptado también es bueno. Estar consciente de tus propias cadenas es importante. Te ayuda a liberarte de ellas.

Entonces, ¿puedes reconocer aspectos de ti mismo en alguna de estas cosas?

Veamos de nuevo el lenguaje que usas. Abordemos algunas frases más, por ejemplo: "debería..." o "Tendría que...". Si usas este tipo de frases, pregúntate quién te va a castigar si no haces lo que deberías hacer. Con frecuencia la respuesta es que tú eres el que castiga. "Tengo que limpiar la casa" podría parecer realista, pero es la forma más burda de describir la acción. Intenta decir: "quiero limpiar la casa/hacer la tarea/lavar la ropa/ y otras cosas similares, ya que esto tendrá ventajas a largo plazo para mí y mi vida será más fácil". Entonces esto se convertirá en un regalo que te haces. ¿Ves la diferencia? "Me gustaría hacer X, Y, y Z" indica que es una elección sana que se hace porque las acciones producen efectos positivos.

Ahora compara esa forma de hablar con "Tengo que hacer X, Y, y Z...". Si usamos expresiones como "tengo que", "debería de", "debo de", etc., en realidad nos estamos diciendo que esa tarea es una carga que nos desagrada y que no respetamos mucho. Esto reduce en forma dramática nuestras oportunidades de disfrutar estas cosas o de hacerlas bien. Y si no las hacemos bien, simplemente reforzaremos la idea de que no vale la pena hacerlas. En esa forma, nos derrotamos antes, durante y después de la tarea. Es una pérdida triple en un juego que pudo haber sido un triunfo.

Existen muchas de estas trampas verbales que debes vigilar, pero solo mencionaré unas cuantas más. Una es la forma en que tendemos a decir "creo que..." o "sé que...", y usamos estas frases como si fueran puntos lógicamente válidos. Tal vez creas lo que te gusta, pero eso no significa que estés en lo correcto. El presidente George W. Bush era un experto en decir que "creía" que algo era cierto, y que "creíamos" que algo más era cierto. A veces, durante la guerra contra Irak, no había prueba alguna para respaldar ciertas afirmaciones, como las relacionadas con Armas de Destrucción Masiva, pero George W. Bush de todos modos lo "sabía" y actuaba en base a eso.

Pregúntate cómo es que "sabes" lo que sabes, y si lo que "crees" es siempre productivo. Considera, por ejemplo, esta afirmación: "sé que el jefe (la administración) no se percatará de...". Esto podría ser verdad o podría no serlo. Sin embargo, muchas personas lo usan como una excusa para no hacer algo antes de siquiera considerarlo con cuidado. Yo mismo lo he usado. Este es otro ejemplo: "sé que ese muchacho se está metiendo en problemas...". Tal vez sería posible saber esto con seguridad si uno fuera un psíquico, pero es fácil que no sea verdad. Por tanto, solo es un juicio negativo que transmite el mensaje de que la persona que habla espera tener un hijo rebelde y siente que esta es la única actitud posible.

Cuando pensamos en esta forma nos permitimos deslizarnos hacia cajas de prejuicios que la mente fabrica, y que a menudo son muy injustas para nosotros y para otros. Nos permitimos pensar en clichés, y al hacerlo no podemos pensar con inteligencia o con compasión sobre lo que podría ser el camino que se abre ante nosotros. No creas en todo lo que piensas; y piensa con cuidado sobre lo que crees.

Quizás John Lennon lo expresó mejor cuando escribió: "La gente dice que estoy loco… Bueno, yo les digo que no hay problemas, solo soluciones".[2] Claro que hay problemas, pero al concentrarnos en el aspecto problemático podemos perder de vista la verdadera alegría de encontrar soluciones positivas, y nunca encontraremos soluciones. ¿En qué prefieres concentrarte? Vigila tu lenguaje y puedes cambiar la forma en que percibes las cosas.

14

Puedes esperar recibir ayuda a lo largo del camino

Cuando nos conectamos con la energía del universo, cuando los sucesos en sincronía nos ayudan a lo largo del camino, podemos ver esto como si nosotros nos uniéramos a un patrón de ayuda que es tan antiguo como las leyendas de la humanidad en sí. Prácticamente en todas las leyendas, desde las épocas más antiguas hasta las más recientes, cuando el protagonista inicia una trayectoria hacia un destino que tendrá como resultado el descubrimiento de sí mismo, aparecen varias figuras que le prestan ayuda a lo largo del camino. Algunas son buenas y algunas son malas. Este es un patrón que vemos en la *Odisea*, cuando Odiseo encuentra figuras bondadosas y figuras dañinas. Piensa en Circe, en los Cíclopes, en Nausícaa y en Calipso.

Es un tema que tiene ecos a lo largo de los siglos. En los cuentos de hadas de los hermanos Grimm, algunos de los cuales tienen un origen muy antiguo, y en muchos otros relatos populares, cuando el protagonista inicia su camino para llevar a cabo una búsqueda, aparecen figuras menores. A menudo son enanos, duendecillos extraños o animales raros. Si se les trata adecuadamente y con respeto, están de acuerdo en ayudar. Este tema aparece con tanta frecuencia que es parte de las expectativas con que el lector aborda estos relatos.

En muchas formas, esto es exactamente lo que ocurre cuando estamos en armonía con nuestro destino. Se presentan sincronías, se abren puertas, aparecen oportunidades. Lo interesante de estas figuras que ayudan es que hacen tres cosas: en primer lugar, ayudan al héroe. En segundo lugar, al hacerlo le aseguran que va por el camino correcto. El tercer aspecto es incluso más importante. Estas figuras solo ayudan a quienes las tratan con amor y con respeto. Así funcionan las sincronías. Nos dicen que no estamos perdiendo el tiempo, aunque nuestros amigos y familiares tengan otros planes para nosotros y traten de oponerse: el reto no es ser obstinados o arrogantes al avanzar en el camino que hemos elegido para nuestra vida.

Pero como hemos visto en relación con Circe y con los Cíclopes, existe un aspecto negativo. En el cuento de hadas que se conoce como *Gorrita Roja* o *Caperucita Roja*, por ejemplo, el personaje que "aparentemente ayuda" es un lobo que no está tomando en cuenta los mejores intereses de la niña.[1] La tarea de Caperucita es mantenerse firme en el camino que sus padres y sus mayores le dijeron que siguiera al pie de la letra. Esto parece contradecir la idea general de buscar nuestro propio camino; parece decirles a las jovencitas que deben obedecer a toda costa. Necesitamos ver esto más de cerca de lo que permite esta interpretación, pues si no lo hacemos no captaremos el mensaje de esta historia.

Es bastante claro que el lobo es una forma de tentación sexual, la escena en la recámara parece sugerirlo, y él representa al hombre mayor (que podría recibir el nombre de lobo) que desea cazar jovencitas. El relato es importante porque abre la posibilidad de hablar sobre las personas que aparecen repentinamente en nuestras vidas con la intención de dañarnos. Tal vez aparezcan en la misma forma milagrosa en que aparecen las figuras benevolentes y curiosas que están presentes en otros cuentos, y es difícil identificarlas. Piensa en el hombre salvaje en el relato de *Juan de Hierro* que resulta ser muy útil a pesar de que no es fácil tratar con él. Es tan aterrador como cualquier lobo.

Sin embargo, esto es exactamente lo importante. Cuando seguimos los planes de otras personas con respecto a lo que debemos hacer, como lo hizo Caperucita, se nos puede llevar por el mal camino porque la tarea no es plenamente nuestra; carecemos de ese sentido interior de firmeza que hace que rechacemos lo que no nos ayuda. Como tal vez recordemos, siguiendo las sugerencias del lobo, Caperucita se va a cortar flores, y así el lobo puede adelantarse y llegar antes que ella a la casa de la abuela. La pista parece clara: Caperucita Roja no entiende a fondo su misión; cree que su misión es llegar a casa de la abuela, cuando en realidad se relaciona con ver si puede protegerse donde quiera que vaya. Cuando seguimos nuestro propio camino, sabemos de inmediato qué y quién puede ayudarnos. No se nos puede engañar durante mucho tiempo. Nuestro sentido interno de autenticidad no permite que algo nos detenga sin antes darnos suficientes motivos para hacerlo.

En el cuento de hadas, es necesario sacar a Caperucita de las entrañas del lobo después de que él se la traga. Ella "vuelve a nacer" y ahora es más sabia y prudente. A partir de ahora, seguirá su intuición interior basándose en la experiencia. Este relato nos habla de encontrar nuestras propias razones auténticas para estar en el camino que elegimos estar.

Entonces, ¿cómo podremos estar seguros de que estamos en el camino correcto y que no estamos siguiendo un mal camino como lo hizo Caperucita? ¿Cómo podremos ser fieles a nuestra guía interior? En realidad es algo bastante directo. El más poderoso de los impulsos internos es la felicidad genuina. Si sentimos verdadero gozo en cada paso que damos, eso indica que nuestra psique nos está asegurando que, en efecto, estamos en el camino correcto, sin importar lo difícil que pueda ser a veces.

Si el gozo parece desvanecerse en las cosas que hacemos, eso tiene para nosotros un mensaje importante. ¿Es una pérdida temporal? ¿O es parte de algo más, algo que se ha establecido por largo tiempo? La tarea es regresar al gozo. Tal vez se supone que Caperucita estaba cortando flores para su abuela y eso está muy bien... pero el relato nos dice que siguió cortando flores hasta "que se acordó de su abuela". Se da cuenta de que se distrajo. El impacto que le causa darse cuenta de eso es lo que hace que ella entienda que ha estado haciendo algo que no es parte de su tarea, aunque en el momento parecía ser bueno. Es obvio que este no es un relato diseñado para hacer que los niños sean obedientes; es un comentario sobre la forma en que podemos dirigir mal nuestras energías por "buenas" razones que es difícil distinguir de las razones egoístas. Cuando nos damos cuenta de esto, nos invade una sensación de conmoción, tristeza y culpa.

Caperucita Roja es solo un relato de toda una serie de relatos que se relacionan con personajes que ayudan al protagonista, pero que al hacerlo en realidad lo ponen a prueba. En muchos de ellos describen situaciones relacionadas con la familia. Piensa en la reina malvada que tienta a Blanca Nieves con corsés de encaje, con peinetas y con manzanas.

El deseo del ego por lo que es atractivo es lo que lleva a estos personajes por el mal camino. A menos que tengamos una idea muy clara del camino que debemos seguir (algo que Caperucita no tenía), perderemos el rumbo.

En términos prácticos, esta clase de situaciones suceden cada día. Otras personas pueden desviar la pureza de intención con que abordamos nuestras actividades. Para un artista amigo mío esto se presentó cuando su libro sobre arte resultó ser un gran éxito y llegó un publicista que quería ayudarlo a darlo a conocer. Junto con el publicista llegó un consultor que simplemente quería ganar dinero con el proyecto y no le importaba lo que este artista amigo mío quería transmitir sobre la creatividad y la libertad. Esta persona hizo que mi amigo sintiera que le habían robado el trabajo de toda su vida. Cada vez se sentía menos contento con lo que estaba sucediendo y solo recuperó su sentido de alegría cuando le pidió al consultor que abandonara el equipo. Esa presión por vender hizo que este artista sintiera lo que muchos de nosotros enfrentamos cuando somos nosotros mismos en forma auténtica. Él sabía que algo estaba mal porque hacía que se sintiera triste. El gozo que experimentaba en su trabajo se había desvanecido temporalmente.

Tal vez esto está en el fondo del consejo que nos da el Dalai Lama cuando dice que nuestra tarea como seres humanos es ser felices, *sin importar lo que pase* (lo puse en letra cursiva para darle énfasis) y aunque parezca que hay mejores opciones a nuestro alcance. Esto es similar al consejo que da Joseph Campbell cuando dice: "sigue tu propia dicha". Date cuenta de que dice "tu dicha", no la de otra persona. Como escribe Howard Thurman: "pregúntate qué es lo que hace que cobres vida y hazlo. Porque lo que el mundo necesita es gente que ha cobrado vida".[2]

Despertar por completo en esta forma, nos permite alcanzar todo lo temporal y ponernos en contacto con lo eterno, con lo trascendente. Nos permite tener un camino para salir de la dimensión usual de lo que hacemos todos los días y nos pone en contacto con algo multidimensional y mucho más difícil de explicar. Llegamos a algo más grande.

Cuando les digo a los estudiantes que están aprendiendo a escribir memorias o biografías, que sigan la energía de lo que están escribiendo y que vayan a donde los lleve, les estoy diciendo lo mismo. Despréndete del ego, que planea y quiere que la historia vaya en cierta forma (por lo general, la forma en que cree que atraerá la atención del *New York Times Review of Books*), y que escuchen a su corazón, porque el corazón tiene su propia forma de hacer las cosas. Cuando lo hacen, estos escritores llegan a un extraordinario nivel de gozo… y no necesariamente es el gozo de recibir un buen pago avanzado de una casa editorial. Tienen el gozo de saber que su trabajo es importante para su alma, que está lleno de vitalidad.

Sigue tu gozo y no podrás perder de vista tu destino. Oprah Winfrey también comparte con nosotros un concepto valioso sobre este tema:

> Lo que hizo que yo alcanzara el éxito es la capacidad de entregar mis planes, mis sueños y mis metas a un poder que es más grande que otras personas y más grande que yo.[3]

¿Quién podría expresarlo mejor?

15

Pensamientos que tenemos y que nos alejan del flujo

Cómo descifrar los mensajes inconscientes

Los pensamientos y las creencias vienen de muchos lugares, no todos son razonables o ni siquiera cuerdos. Uno de los ejercicios que uso con las personas es que escriban los mensajes, verbales y no verbales, que recibieron cuando eran niños.

Toma un momento para hacer eso ahora: ¿cuáles fueron los mensajes, verbales y no verbales, que recibiste siendo niño?

Por ejemplo, la niña que recibió ropa que antes había sido de otras niñas pudo haber "escuchado" el mensaje de que ella no era tan importante como las niñas mayores que habían usado la ropa primero. Por el contrario, si la ropa que recibe un niño era de un hermano que él quiere mucho o de su padre, entonces tal vez sienta que es un verdadero honor usar la chaqueta deportiva de Beto o el saco de papá, o en el caso de una niña, la bufanda de mamá.

¿Qué mensajes recibiste? ¿Tus padres esperaban que fueras responsable y te asignaban tareas que exigían que demostraras tu madurez? ¿Y era eso algo que tú valorabas, o solo era una forma en que ellos te obligaban a hacer cosas que ellos no querían hacer? ¿Qué mensajes recibiste? ¿Sentías que te protegían, o tal vez sentiste que te protegían demasiado? ¿Tuviste libertad o sentiste que te dejaban estar fuera de control? ¿Eras el favorito o no lo eras? ¿Eso fue bueno o malo?

En ocasiones, los padres y los maestros les dicen a los niños que pueden llegar a ser lo que ellos quieran, y esto puede darles mucho poder. Pero en otras circunstancias también podría sentirse como una presión para responder a ciertas expectativas. A algunos padres de familia les encantaría que sus hijos llegaran a ser cierta clase de estrellas, pero las elecciones más auténticas de sus hijos podrían ser algo completamente distinto, y es entonces cuando hasta el respeto o la estimación podrían ser problemáticas. La jovencita que decide ser policía, como en un caso real que conocí, podría no complacer a su padre que quería que su hija fuera una personalidad en los medios de comunicación masiva.

Tomando en cuenta tu vida en tus años de desarrollo, ¿recibiste la sensación de que la vida iba a ser difícil, o que iba a ser interesante y que recibirías recompensas reales? ¿Era correcto o no confiar en otras personas? ¿La gente permaneció en tu círculo social o lo abandonó? Y si lo abandonaron, ¿fue porque murieron, se divorciaron, tuvieron argumentos, o por otros factores? Si no has empezado a hacerlo, tómate unos minutos ahora y escribe tus respuestas.

Vale la pena hacer este ejercicio porque un número sorprendentemente grande de prejuicios muy arraigados se forman durante la infancia y podrían formarse por muy buenas razones. Las personas cercanas a nosotros pudieron ser desagradables o destructivas. Esto no significa que toda la gente va ser así siempre. Desafortunadamente, como consecuencia de estas impresiones de la infancia, muchas personas creen que "todos los hombres se van", que "no se puede confiar en nadie", o que "siempre está uno mejor estando solo". Tal vez eso fue cierto entonces, pero ya no lo es. De hecho, como estrategias para la vida, esas creencias pudieron salvarle la vida a la persona, pero tal vez dejen de ser útiles cuando la persona tenga más de veinte años de edad.

Una mujer llevó este ejercicio a la siguiente etapa y empezó a anotar a todas las personas que habían muerto y que ella había conocido o eran sus vecinos cuando era niña. Esto incluyó a sus abuelos, al padre de la amiga que vivía frente a su casa, y a un vecino. En total, nueve personas que ella había conocido habían muerto antes de que ella cumpliera 10 años. Entre ellas había niños y adultos, y había al menos un suicidio. Nunca se hablaba abiertamente de esto. Por lo tanto, el mensaje que recibió esta mujer era complicado y aterrador. Hizo que creyera que este no era un mundo amable ni estable, una creencia que dio forma a su vida a lo largo de los siguientes 40 años, aunque no era una creencia consciente.

Lo que estamos viendo aquí es un proceso en el que todos, de manera inconsciente, inventamos creencias y luego empezamos a vivirlas. Algunas creencias podrían identificarse en términos de su origen. Tal vez tengamos que descartar algunas de ellas cuando veamos que ya no son aplicables. Por ejemplo, en la década de 1960 creíamos que los productos japoneses eran chatarra, basándonos en la gran cantidad de juguetes y enseres domésticos que se rompían con mucha facilidad. Esa percepción era cierta entonces, pero ya no lo es ahora. Lo mismo puede decirse de nuestras actitudes. Necesitamos saber de dónde provienen y si todavía podemos usarlas en forma productiva, o si nos mantienen fijos y atorados en un patrón antiguo. Mientras estemos atorados ahí, clavados con firmeza en el mundo del ego, no podremos dedicar mucho tiempo a pensar sobre nuestras almas. Ciertamente tampoco podremos ver los sucesos en sincronía como lo que son en realidad.

Cómo descifrar los mensajes del cuerpo

Un lenguaje que se relaciona con esto es el lenguaje corporal. Podría decirse con justicia que solo escuchamos partes seleccionadas de lo que dice nuestro cuerpo a través de su lenguaje particular de las sensaciones. Respondemos con rapidez al deseo de descansar, de comer y de tener sexo; y nos percatamos rápido del dolor, pero para la mayoría de las personas esa es prácticamente su disposición a pensar en el cuerpo.

Muchos de nosotros no somos capaces de escuchar y respetar lo que nos dice el cuerpo, aunque se degrade al nivel de "reacciones viscerales". Desafortunadamente, por lo común nos convencemos de no seguir nuestras reacciones viscerales. Y en esa forma estamos de acuerdo en hacer toda clase de cosas que sabemos no son buenas. Por ejemplo, en un momento de soledad, podríamos volver con un amante, a pesar de tener dudas severas sobre él, y permitimos que nuestro sentido de ineptitud personal tome el lugar de la guía de nuestra intuición que es mucho más útil.

Nuestros cuerpos tienen una sensibilidad exquisita para tratar con el mundo externo y reflejar nuestro mundo interno; sin embargo, nosotros ignoramos la comunicación que el cuerpo está tratando de comunicar. Nos sonrojamos, dudamos y hacemos mil cosas que nos revelan lo que sentimos… y en general las ignoramos.

Hazte varias preguntas básicas. ¿Respetas tu cuerpo? ¿Le prestas atención cuando siente dolores o simplemente le das analgésicos? ¿Te alimentas sanamente, tomas una cantidad suficiente de agua pura (no refrescos con gas), y tratas de mantenerte lejos de sustancias químicas dañinas? ¿Usas productos y sustancias químicas en tu piel y en tu cabello para verte mejor? ¿Son sustancias benéficas o dañinas? Si son dañinas, te estás mandando dos mensajes: el primero es que no te ves muy bien tal como eres, y el segundo es que puedes abusar de tu cuerpo para compensar un supuesto déficit. Esta manera de pensar es seductiva.

En mis clases, todos los días veo jovencitas que en medio de un invierno gris lucen un bronceado profundo, proporcionado regularmente por salas de bronceado. Tal vez su piel se vea bien así, pero según la mayoría de los dermatólogos, este hábito de broncearse en definitiva no es una buena idea. Puede producir cáncer, hará que la piel de estas mujeres se vea curtida y mostrará más arrugas de lo normal a los cuarenta años. Pero para una chica de 20 años de edad eso es muy lejano como para pensar en ello. Entonces, ¿cuidas tu cuerpo para resultados a largo plazo… o solo para verte bien hoy?

Lo que necesitamos es equilibrio. Es importante que te portes bien con tu cuerpo y con tu piel. Usa productos sanos para nutrir tu cuerpo, presérvalo y mantenlo en el mejor estado posible. Eso es respetarlo.

La forma en que tratas a tu cuerpo es un lenguaje que indica cómo te relacionas con el mundo. ¿Descansas cuando lo necesitas? ¿Haces ejercicio para desarrollar un cuerpo más musculoso o para compensar los efectos de un trabajo sedentario? ¿Usas zapatos cómodos y ropa cómoda para mantener tu cuerpo a una temperatura adecuada? Mi madre, un ama de casa de la década de 1950, torturaba sus pies con zapatos de tacón alto y usaba ropa que se veía bien, pero que no la mantenía suficientemente caliente. Ella sentía que su imagen era más importante que estar cómoda o que mantener sanos sus pies a largo plazo. Así que hazte estas preguntas: ¿te deleitas en tu cuerpo? ¿Lo tratas bien? ¿Estás feliz de tener este vehículo para tu alma y tu psique? ¿O descuidas sus necesidades?

Tu actitud hacia la ropa también puede ayudarte a examinar tus actitudes, seas hombre o mujer. ¿Te gusta la ropa de buena calidad? ¿O sientes que tienes que comprar ropa corriente? Si compras ropa barata, ¿tienes una razón para hacerlo, por ejemplo, el que te gusten ciertos estilos? ¿O estás economizando para salir adelante? Algunas personas compran ropa cara porque no se aprecian lo suficiente y esperan compensarlo esforzándose por creer que lo que no pueden aceptar sobre su actitud hacia sí mismas es cierto. Otras personas de hecho disfrutan las texturas y el tacto de su ropa, sin importar su procedencia, y sienten que usar combinaciones interesantes es una forma de expresarse y gozarse. La ropa es una expresión de diversión y alegría. Pregúntate cómo tratas a tu cuerpo en lo relacionado con la ropa, y luego ve si esto refleja una actitud subyacente relacionada con tu actitud hacia tu cuerpo. Si no te gusta lo que descubres, haz cambios.

Hablando de estereotipos, en la parte del mundo donde vivo, el noreste de Estados Unidos, a los hombres no parece importarles mucho la ropa. Los pantalones de mezclilla desteñidos y las camisetas son normalmente la regla. De hecho, sería difícil separar este atributo "masculino" de un ritual determinado culturalmente que se basa en actitudes sobre la identidad sexual. En algunas partes de Estados Unidos, se supone automáticamente que un hombre bien vestido es afeminado o gay. Esto es exactamente lo contrario a lo que sucede en muchas partes de Italia, por ejemplo, donde los hombres se visten exquisitamente precisamente por la razón contraria. La ropa refleja muchas actitudes. ¿Cuáles son un reflejo real de lo que eres?

No preocuparse por la comodidad del cuerpo podría ser un signo de un carácter fuerte, podría reflejar que la persona enfrenta la vida alimentándose con menús básicos y aburridos, mientras se concentra en luchar por tener éxito en la vida. Pero esta también es una afirmación poética: la persona está expresando que la vida es una lucha, que uno tiene que ser fuerte, y que habrá una recompensa por negarse a sí mismo. Esta actitud mental no tiene nada de malo; muchos atletas y exploradores la tienen; sin embargo, yo diría que también es parte de un "cuento" que nos contamos a nosotros mismos sobre lo que somos, y podría resultar más atractivo aferrarse a ese cuento que estar en paz con el cuerpo.

Las personas que llevan el cuerpo al límite, forzándolo, bien podrían ser personas que llevan al límite otros aspectos de su vida. Cuando forzamos las cosas, vamos contra de la idea del flujo. Forzar significa que nos estamos diciendo que podemos hacer que algo ocurra en cierta forma. Eso puede estar bien en ciertas circunstancias; pero más a menudo, esta clase de actitud no es muy benéfica. Es similar a insistir que un niño se coma sus ejotes antes de permitirle comer postre. Tal vez se trate de los ejotes a corto plazo, pero no hace nada para hacer que los ejotes le gusten al niño; y al niño tampoco le agradará la persona que le hace esto, lo que causará problemas posteriores.

Forzar las cosas es una forma de lograr que algo se "lleve a cabo" en la forma menos eficaz posible. Por eso el flujo nunca es algo que pueda aplicarse mediante la fuerza de voluntad pura. ¿Obligas a tu cuerpo a hacer más de lo que puede hacer? ¿Descansas cuando tienes un resfriado o sigues luchando con la vida a pesar del resfriado? ¿Qué me dices de tu cama? ¿Es cómoda? ¿Duermes bien en ella? ¿Te das la oportunidad de dormir lo suficiente y de tener tiempo para relajarte?

La pregunta sobre tu cama podría parecer un poco personal, pero he notado con una frecuencia alarmante que son muchas las personas que tienen colchones y camas que no les gustan y en las que no duermen cómodos. El resultado son más dolores de espalda, más dolores y malestares de todo tipo, menos horas de sueño, más fatiga, lo que a la larga lleva a la depresión. Nuestro cuerpo normalmente coopera con gusto si lo tratamos bien. Pero a menudo no lo hacemos.

Toda esta cuestión sobre el cuerpo se relaciona con incrementar nuestro distanciamiento del mundo físico en que vivimos. En un pasado no muy lejano, la gente se levantaba al amanecer y se acostaba con la puesta del sol. Ahora no lo hacemos, y entre las personas con quienes hablo no hay nadie a quien le guste levantarse en la oscuridad de una mañana de invierno. ¡Vaya forma de iniciar el día! Estamos fuera del ritmo de los días y las estaciones. También estamos lejos del ritmo del mundo del trabajo físico. Tenemos coches que nos llevan a todas partes, así que no caminamos. Tenemos carritos de supermercado para poner lo que compramos, así que no lo cargamos ni sentimos su peso real. Tenemos elevadores y demás.

La cultura del automóvil es la clase de cultura en que la gente va al gimnasio en coche cuando podría caminar y hacer ejercicio. También ha ayudado a hacer que no estemos conscientes de los cuerpos en general. En la época de los caballos, las personas tenían que alimentar y cuidar a los animales que tiraban de los carruajes en que ellas se sentaban. Estaban acostumbradas a hacer esto para que los caballos no murieran. Un coche no requiere de estos cuidados. El tanque de gasolina se llena en dos minutos, dejamos el coche estacionado bajo la lluvia y le cambiamos el aceite cuando se nos da la gana. Algunas personas tratan así a su cuerpo. Se alimentan con varios tragos de un licuado energético o con barras nutricionales. ¿Qué pasó con el hábito de disfrutar la comida masticándola, saboreándola y darle al cuerpo ese placer… o al menos el gusto de comer sin prisa?

Cuando hacemos esto, nos estamos mandando mensajes sobre lo que es importante en nuestra vida. Estos mensajes son más persuasivos porque no se expresan con claridad. Estamos diciendo que la vida no tiene que ver con estar presentes, con disfrutar el lugar donde estamos; sino que la vida tiene que ver con estar seguros de no llegar tarde al siguiente gran evento, de vernos bien en este momento, y al diablo con el futuro.

Todas estas actitudes impiden que estemos en el flujo, porque cuando estamos distanciados de nuestro ser físico no podemos disfrutar nuestra existencia corporal, y ciertamente no podemos estar agradecidos por esto. Si no estamos en contacto con los ritmos naturales de nuestro cuerpo, ¿cómo podremos ser totalmente sensibles a los ritmos del universo que crean la sincronía? Así que tómate un momento y analiza los mensajes que te mandas día tras día.

Cómo descifrar los mensajes del amor y el sexo

Uno de los mayores obstáculos al flujo, a estar en paz con la forma en que se desenvuelve el futuro, es lo que menos esperaríamos: el amor. Se podría pensar que el amor nos ayuda a aceptar a otros y a desprendernos del deseo de controlar. Pero la verdad es que solo la forma más sublime del amor lo hace, pero por desgracia existen muchas otras formas de apego apasionado que no permiten que esto suceda. Entre ellos, el amor sexual es con frecuencia el más difícil.

En el mundo moderno, el amor sexual está tan involucrado con cuestiones de esperanza, miedo, duda y desigualdades en el poder que la experiencia de disfrutar nuestra sexualidad podría ser como tratar de abrirnos camino por un campo minado. Cuando estamos enamorados, podríamos preocuparnos pensando que nuestro amor es más profundo que el que siente nuestra pareja, lo que nos hace sentir ansiosos y vulnerables si nuestra pareja nos abandona y se va con alguien más. Esto duele, por supuesto; además, si en realidad amamos a nuestra pareja más de lo que ella corresponde a nuestro amor, eso también podría hacer que nuestros conocidos tuvieran una mala opinión de nosotros, así que existe el peligro de un dolor doble. El dolor se hace más profundo si nos separamos o nos divorciamos y tenemos que dividir nuestras posesiones.

La prensa popular tampoco ayuda mucho. Al pasar por el cajero de cualquier supermercado de seguro encontrarás revistas a todo color como *Cosmopolitan* y *Men's Health* que están llenas de artículos que ofrecen instrucciones detalladas sobre técnicas sexuales avanzadas que enloquecerían a nuestra pareja. El mensaje explícito es que sabiendo esto puedes establecerte como la persona más poderosa en tu relación y que tu amante no te dejará porque la experiencia sexual nunca será tan buena con nadie más... a menos, por supuesto, que la otra persona también haya leído la revista. El mensaje implícito es que no eres tan adecuado (o adecuada).

Junto a estas revistas hay otras que se concentran en las rupturas y los romances de las estrellas de Hollywood y otras celebridades. A veces me pregunto si esas personas famosas no deberían leer las técnicas sexuales avanzadas que aparecen en las revistas para así no tener los problemas que tienen... pero tal vez hay algo que no estoy entendiendo aquí.

Lo que esta trampa para ingenuos que encontramos a la salida del supermercado nos hace creer es que no es seguro enamorarse de alguien, aunque seas una estrella de cine. Toda la gente engaña, miente y acaba sintiéndose fatal. Y esto sucede aunque hayamos hecho la tarea de leer las "Diez formas de tocar a tu hombre (o a tu chica)". En esa forma se introduce firmemente el miedo al ámbito del sexo y la intimidad.

En todas partes hay ansiedad. Hoy en día, aunque seas un hombre que está enamorado, la televisión se encarga de decirte que corres el riesgo de tener una disfunción eréctil. Pero no te preocupes, toma en cuenta este anuncio de Viagra^MR^ o de Cialis^MR^, pídele a tu médico una prescripción y estarás bien. Esta publicidad interminable en definitiva incrementa la ansiedad en la población masculina. En una profecía que de seguro se cumplirá, un hombre podría en realidad empezar a temer que no tiene una potencia plena. Al mismo tiempo, su pareja podría sentir que en cierta forma es culpable de no ser suficientemente atractiva, comprensiva, encantadora. Así que será mejor conseguir esas píldoras, por si acaso... Creo que puedes ver cómo funciona esto. El miedo aumenta.

El ámbito del sexo con amor, de la confianza y la calidez en una relación (que podría incluir o no una relación salvaje y apasionada con todas las variaciones imaginables y con el uso de recursos para incrementar el placer) está en peligro en nuestra era moderna. Hoy en día, muchas personas desperdician mucha energía valiosa sintiéndose celosas, engañadas, posesivas, controladoras, enojadas e inadecuadas; y se siguen sintiendo así durante gran parte de su vida adulta. Con tantos problemas que deben considerarse en el campo de las relaciones, para muchas personas es difícil relajarse, sentir el amor y entrar al flujo de la relación. Muchos de nosotros no sabemos si nuestra relación es tan buena como podría ser, tan buena como las relaciones de otras personas (como si realmente pudiéramos saberlo), o si nos estamos comunicando con eficacia.

En una era en que hay más oportunidades de sexo que nunca antes, en que el control de la natalidad reduce el peligro de la consecuencia más obvia del sexo, tenemos una industria masiva de sexo. La prostitución es una profesión que está en auge. Y lo está en parte porque ofrece sexo sin involucrar la mayoría de los problemas que hemos mencionado. Es un sexo que es anónimo y sin rostro, así que nadie puede comentar lo bien o lo mal que lo hacemos, lo que hacemos, o cómo pedimos lo que deseamos. Si se le paga lo suficiente, la prostituta puede transformarse en lo que la persona que le paga desea durante un breve periodo. El único reproche posterior sería que se nos descubriera.

Creo que puedes ver que todo esto podría tener cierto atractivo para la persona que paga por el sexo... y por supuesto, es posible que haya muchas otras razones mezcladas en ello. Creo que también sentirás una tristeza profunda por una sociedad que ha hecho que esto sea tan prevalente como una solución imaginaria para lo que le aqueja. En todo caso, esto simplemente tiene que ver con el hecho de que el ego está buscando consuelo.

Aquí lo importante es no renunciar al amor. El verdadero amor lo vale todo. Pero tenemos que ver que, como sociedad, hemos introducido a nuestra experiencia del amor una gran cantidad de dificultades que no necesitan estar ahí si cambiamos nuestra conciencia al respecto. Debemos elegir lo que queremos aceptar en nuestra vida y rechazar lo demás con firmeza.

Cómo descifrar los mensajes en el campo del trabajo

"El trabajo tiene el hábito de interrumpirlo todo". O al menos eso es lo que me dijo uno de mis compañeros de trabajo el otro día, y nos reímos mucho. Detrás de esta broma había una consideración relativamente más seria, pues muchas personas sienten que lo que hacen durante la mayor parte de su vida productiva no es interesante ni vital, es algo aburrido que proporciona dinero y a menudo es motivo de quejas, ansiedad y emociones turbulentas. Ahí es donde perdemos de vista el flujo.

Cuando empecé a enseñar a nivel universitario, noté una marcada tendencia entre mis colegas profesores a compartir historias de terror sobre sus estudiantes. Algunos de estos relatos eran instructivos, pero en su mayoría solo eran el principio de la espiral que llevaba a quienes los contaban y a quienes los escuchaban a un espacio negativo de desesperación. Cuando me pidieron que fuera el director del departamento, instituimos reuniones en las que propuse que "no hubiera este tipo de relatos de guerra", sino que nos concentraríamos en lo que funcionaba con nuestros estudiantes.

La primera vez que expresé esa idea, el silencio invadió la sala. "¿Entonces de qué se supone que vamos a hablar?", preguntó alguien. Estas personas literalmente no sabían qué comentar con el grupo si no se estaban quejando. No es que no fueran buenos maestros, sino que estaban tan acostumbrados a llenar su mente de lo malas que eran las cosas, que no podían desprenderse de esta actitud mental, aunque la odiaban.

A lo largo de los meses siguientes, gradualmente cambiamos la atmósfera concentrándonos en estrategias que funcionaban y compartiéndolas, y al hacerlo las personas involucradas empezaron a pensar en forma más creativa, a formar amistades funcionales y a ver más posibilidades. Algunos seguían aferrándose a su oscura forma de pensar, pero gradualmente dejaron de intentar desviar las cosas; algunas solo dejaron de asistir a las reuniones, lo que fue un alivio.

No estoy tratando de decir que ocurrió un cambio milagroso, porque no es así. Lo que ocurrió es que las personas que llenaban el salón se dieron cuenta de los hábitos mentales que habían adoptado en relación con su trabajo y decidieron cambiarlos. El trabajo dejó de ser una carga y se convirtió más en un placer. Los maestros se aferraban con menos fuerza a sus programas (el ego les decía que esa era la única forma de lograr que se hicieran las cosas), y empezaron a trabajar más con sus estudiantes.

Personalmente, siempre he estado a favor de trabajar con las personas y no al servicio de lo que aparece en hojas de papel. Cuando hicimos esto en mi universidad, cuando respondimos a lo que estaba sucediendo en los salones de clase y no a lo que pensábamos debería estar sucediendo, nos dimos la oportunidad de experimentar el flujo. Este es un ejemplo de la forma en que el trabajo puede dejar de ser un infierno y convertirse en un cielo, dependiendo de la forma en que se aborde. Entonces, ¿cómo abordas *tu* trabajo? ¿Sientes que es una experiencia auténtica para ti? ¿Cómo podrías hacer que tu trabajo fuera más vital para ti?

Una forma de tratar de liberarte de tus sentimientos habituales sobre el trabajo y averiguar lo que en realidad sientes, es vigilarte muy de cerca y escuchar a tu cuerpo. ¿Te duele el estómago o sientes mariposas en el estómago cuando estás cerca de ciertas personas? ¿Encuentras que sudas cuanto tienes que hacerte cargo de ciertas tareas que exigen mucho de ti mental, aunque no físicamente? ¿En qué medida necesitas "quedarte callado" en el trabajo? ¿Sientes el impulso de escribir correos electrónicos sarcásticos en respuesta a correos electrónicos que consideras agresivos o molestos? ¿Sientes que te están atacando? ¿Algunas personas hacen que te sientas melancólico?

Es probable que en algún momento hayas tenido estos sentimientos en el trabajo. Son síntomas, pero a ti te corresponde decidir lo que estas experiencias están tratando de decirte. ¿Cuánto de tu alma estás dispuesto a entregar para poder cobrar un cheque?

Estar en el flujo no significa desterrar los sentimientos de incomodidad; lo que haces es cambiar tu relación con lo que está pasando. Puedes dejar a un lado las pequeñas molestias porque sabes que estás involucrado en algo que es más vital. De hecho, en cuanto estés de acuerdo con no tomar en cuenta los obstáculos, empezarás a sentirte más lleno de energía gracias a tu trabajo.

Pero antes de poder hacer ese cambio, tendrás que empezar a hacer las cosas en forma diferente. Intenta esto: cuando salgas del trabajo al final del día, sigue el ejemplo de las aves. ¿Alguna vez has observado a las aves, por ejemplo a las palomas o a los patos, cuando se pelean? Se esponjan y arman un escándalo; luego se alejan y revolotean como si se estuvieran encogiendo de hombros, reacomodan su plumaje y siguen adelante. Yo llamo a esto sacudirse la energía negativa, y hay investigaciones recientes que indican que en esta forma eliminan el exceso de adrenalina. Esto es instintivo en muchas aves y mamíferos, pero lamentablemente no lo es en los humanos. Tendemos a aferrarnos a nuestras emociones negativas. Los primeros que me enseñaron esto fueron unos maestros de tai chi, que literalmente ahuecaban las manos y recorrían con ellas su cuerpo para eliminar la energía negativa después de un día difícil, y después sacudían las manos para eliminar esa energía por la punta de los dedos como si fuera agua.[1]

La lección era clara: hay demasiada energía negativa a nuestro alrededor y tiene que eliminarse. Al hacer esos movimientos, le estás diciendo a tu inconsciente que esta es la única energía negativa, que puede eliminarse y que no estás dispuesto a llevártela a casa. Tu inconsciente cooperará contigo y dejará ir el estrés. Parece sencillo, y lo es. Además funciona. Me gusta encogerme de hombros con tanta frecuencia como me sea posible, porque la tensión se acumula en mis hombros y darles esa pequeña sacudida hace que me sienta bien.

Otra técnica es lavarse las manos. Después de un día difícil me lavo las manos y a veces la cara antes de salir del trabajo. Es importante hacerlo en forma consciente, de lo contrario uno acabaría mirando fijamente el espejo, notando las arrugas y las canas que han aparecido y deprimiéndose más. Si permites que esto se salga de control, podrías sentirte pesimista y sentir que tienes que esconderte en el baño; ese no es un buen consejo para ti. Por el contrario, piensa en ello como se dijo antes, como una forma de sacar energía, pues no quieres llevártela contigo a casa. Si se les ve en esta forma, puedes encontrar verdaderos beneficios en estas acciones sencillas, y aún más si te dices por qué las estás haciendo. Es una especie de ritual que nos recuerda cómo queremos vivir.

Mi propio ritual al salir de trabajo incluye acciones como asegurarme de mantener la puerta abierta para que otros salgan cuando dejo el edificio, en lugar de salir corriendo, y si estoy conduciendo el coche, me aseguro de dejar que otros coches salgan primero. La mayoría de las personas están ansiosas de llegar a casa, así que de hecho es una buena idea no estar cerca de los conductores ansiosos. Pero yo lo hago por otra razón; lo hago para recordar que voy a casa, donde quiero que la atmósfera sea de ayuda y consideración, y conviene que practique estas actitudes en el trayecto. He intentado abordar el coche de un salto y conducir a toda velocidad para llegar a casa y quejarme de mis colegas. Lo hice durante años. Es la forma de echar a perder una noche perfecta.

Y con esto llegamos al concepto de cómo puedes manejar esto si trabajas en casa. Ten cuidado con esto, ya que podrías convertir la casa en tu área de trabajo y así, en realidad, nunca dejarás el trabajo.

En mi casa, me aseguro de que haya un lugar específico para mis actividades de "trabajo". Tengo un escritorio, pero si decido que quiero trabajar en la mesa del comedor para variar, despejo una parte de la mesa para usarla, no toda la mesa. Esto me manda un par de mensajes a nivel subliminal. El primero es que este es el comedor y que el trabajo de oficina solo se está llevando a cabo aquí en forma temporal. La vida, la vida real, seguirá su curso y me obligará a dejar de hacerlo; normalmente en el fin de semana cuando hay invitados a cenar. Esto me obliga a poner las cosas en orden y archivarlas. De lo contrario, esto se saldría por completo de control.

También me aseguro de no llevar papeles de trabajo a un sillón o a la recámara, porque esto es lo que yo llamo "trabajo invasivo". Si tienes la fortuna de tener una oficina en casa, ahí es donde debe quedarse el trabajo. Recuerda que trabajas para ganar dinero. Si no te pagaran, es probable que no trabajaras. Necesitas ser capaz de alejarte de tu trabajo al final del día y tener otra perspectiva. Se lo debes al trabajo, pues sin esta separación la calidad de tu trabajo se reducirá en forma drástica. Si quieres hacer tu trabajo lo mejor posible, trabaja un poco menos.

Cuando yo era estudiante, compartía un espacio con una persona que siempre permitía que el trabajo llenara su vida. En una ocasión, tenía el motor de la motocicleta en el que estaba trabajando sobre la mesa de la cocina, rodeado de libros sobre la teoría literaria (otro campo en el que era experto), y las piezas del carburador estaban regadas por todo el baño. Parecía que nunca podíamos escapar del olor y la presencia de grasa y aceite de motor. Es obvio que cierta clase de trabajo debe limitarse a lugares específicos.

En lo que concierne a mi propio trabajo como escritor, que es algo que me encanta hacer, debo aplicar las mismas reglas. Al escribir me siento feliz, lo hago por mi propia voluntad y es probable que, en mi cabeza, nunca deje de escribir, ya que constantemente me llegan ideas nuevas (y por eso tengo un cuaderno a la mano siempre que me es posible). Pero a pesar de lo mucho que lo disfruto, sé que escribir durante 16 horas seguidas y luego caer en la cama para seguir escribiendo al día siguiente, no es una buena idea. Lo que escribo pierde calidad.

De modo que esto es lo que hago. Temprano en la mañana puedo contactar mi flujo interno con más facilidad que en otros momentos del día porque mi inconsciente ha estado en efervescencia por la noche. Por lo tanto, cuando me siento frente al teclado, estoy listo para escribir cosas que no sabía que tenía en mi interior. El flujo puede empezar. Por lo general dedico un par de horas a escribir antes de tener que empezar a dar clases.

También sé algo más sobre el flujo, y es que debo respetarlo. Si te tomas el tiempo necesario para llegar a amar la experiencia, puedes tratarla como una caja de dulces exquisitos. Tomas uno o dos ahora y los disfrutas a fondo, sabiendo que podrás hacer lo mismo mañana. Si tratas de comértelos todos ahora, solo te sentirás mal y, lo que es peor, te subirá el azúcar. A este enfoque yo le llamo "amar tu trabajo como escritor" porque deseo disfrutarlo, no terminar de hacerlo lo más pronto posible. Cuando hacemos esto, sucede algo milagroso: la caja de chocolates nunca estará vacía.

Por otra parte, cuando tratamos de forzar las cosas, devorando los chocolates, le estamos diciendo al subconsciente que no creemos que estas cosas buenas estarán ahí mañana, que se trata de una oportunidad única en la vida. Si ese es el mensaje que estás presentando, ¿adivina qué va a pasar? Tu inconsciente está de acuerdo contigo y cierra el flujo. Al día siguiente no pasará nada. La inspiración se agotó. No puedes escribir; usaste mal el flujo.

Tomé este ejemplo de mi trabajo como escritor porque es con lo que estoy más familiarizado y porque he trabajado con suficientes escritores como para saber que esto es exactamente lo que también les pasa a muchos de ellos. Puedo asegurar que esta misma circunstancia se aplica casi a todos los trabajos creativos. Permite que haya en tu vida un espacio para la creatividad. Concentra tu atención en ella durante el tiempo que consideras adecuado y que puedas manejar. Luego, asegúrate de también poner en marcha alguna otra cosa en tu vida. No trates de forzar las cosas. Sal a caminar al parque, sal de la casa, haz compras, pero solo después de llevar a cabo tu trabajo creativo. La meta es traer a tu vida el trabajo que te gusta hacer, llenar tu día con lo que disfrutas hacer. No dejes de vivir para convertirte solo en tu trabajo.

Muchas personas consideran que esta actividad creativa es similar a la meditación o a la oración. Apartas cierta cantidad de tiempo para ella todos los días y respetas ese tiempo. Es posible que no te agrade el contexto religioso de la palabra oración, pero quiero defenderla señalando que al inicio del periodo medieval en la historia europea había muchos "días santos" (días festivos) y festivales; aproximadamente uno de cuatro días era un día de descanso. En ellos, la gente participaba en diversos rituales y ritos que incluían cantos, representaciones de escenas bíblicas o míticas, carreras y competencias, peregrinaciones que podían ser largas o cortas, y dedicaban mucho tiempo a decorar los santuarios y templos con flores, imágenes y diversas ofrendas. De hecho, la expresión de la creatividad era prácticamente un mandato en el calendario religioso, y en definitiva, ello venía bajo el encabezado de "oración".

Tal vez esos líderes religiosos sabían un par de cosas que podrían transmitirnos. Lo primero es que tenemos que darle un espacio a la creatividad; debemos valorarla, no como un aspecto secundario sino como un aspecto primordial en nuestra vida. Lo segundo es que el trabajo tiene ritmos. Hoy en día, vivimos al ritmo del silbato de la fábrica y al ritmo de la reunión con desayuno a las 7:00 a. m. Ni siquiera intentamos entrar a un ritmo tranquilo en el trabajo; la línea de montaje promedio se calcula basándose en la eficiencia y en las ganancias, no en lo que hace que la fuerza de trabajo se sienta bien; en lugar de tener una verdadera satisfacción por nuestro trabajo tenemos aumentos de sueldo.

Este método de dar incentivos a los trabajadores se ha conocido durante al menos 200 años. Cuando las primeras fábricas del mundo se establecieron en los distritos de fábricas en Inglaterra aproximadamente en 1750, los dueños estaban desconcertados en lo que concierne a la productividad. Los trabajadores se sentaban frente a los telares y como lo habían hecho en sus aldeas a lo largo de generaciones, se ponían a cantar en coro y movían los telares al ritmo de sus cantos. Pero este ritmo no era tan rápido para los dueños de las fábricas que querían obtener más ganancias, así que prohibieron los cantos. Se perdieron los cantos, se perdió el ritmo del trabajo, y los trabajadores morían jóvenes, agotados y sin un centavo. Pero las fábricas tenían ganancias.

Los ritmos que podían sostener el trabajo habían evolucionado a lo largo de los siglos, pero fueron eliminados en menos de una década. ¿Sabemos lo que hemos perdido buscando eficiencia?

Por tanto, pregúntate: ¿Tratas de "apresurar" las cosas en el trabajo? ¿Se valora más la meta que el proceso? ¿Y quién lo dice? ¿Las ganancias de la empresa son más importantes que la gente que trabaja en la empresa? En ese caso, ¿cuál es el objetivo de la empresa? Permite que tu trabajo se convierta en una oración y en una conexión con lo que es santo.

Si estamos conscientes de estas cosas, podremos identificar las barreras que nos impiden estar en el flujo. Entonces podremos crear estrategias para estar seguros de que podemos vivir en este mundo en el que tantas cosas carecen de equilibrio y además conservar un fuerte sentido de lo que es importante para nosotros, de lo que nos dará plenitud y nos mantendrá en contacto con nuestra creatividad todos los días.

Una persona que no está en contacto con la verdadera creatividad no pierde esa destreza. Pero la energía debe ir a alguna parte y solo puede ir en un par de direcciones. El primer lugar al que puede ir la creatividad frustrada es al interior de la persona, hacia la depresión. Como mencioné antes, hoy en día, una de cada diez personas sufre depresión. Estas cifras solo representan a las personas que están tomando antidepresivos en un momento dado. También hay miles de personas que están deprimidas, pero no pueden pagar esos fármacos, o que recurren al alcohol y a sustancias ilegales. La depresión y la autodestrucción van de la mano.

La segunda dirección que toma la creatividad frustrada es hacia fuera, hacia el enojo, lo que por lo general se manifiesta en el crimen y en todo tipo de comportamientos antisociales. La tasa de ciudadanos encarcelados en Estados Unidos es la más alta del mundo. El número de personas muy pobres o marginadas que están en prisión es excesivo. Los sistemas carcelarios están sobrepoblados y se están yendo a la quiebra. Lo que muestra que la sociedad es experta en volver loca a la gente y encerrarla. Y en caso de que se nos olvide, no son pocas las personas que usan su gran creatividad para crear tecnicismos fiscales y diseñar todo tipo de estrategias de inversiones que son "legales", pero no son morales. Solo tenemos que pensar en los escándalos relacionados con los fondos de cobertura y sus derivados y en los colapsos que han acosado a Wall Street. Esto es creatividad en acción, pero no representa un verdadero beneficio para la sociedad en general. Solo pregúntale a alguien cuya casa haya sido embargada recientemente.

Qué puede decirnos esto

Permíteme explicar esto en detalle. Estar en el flujo tiene que ver con alinearnos con la energía del universo, con la energía de Dios o como quieras llamarla, y esto tiene tantas formas como podamos imaginar. Aquí lo he equiparado con la creatividad, ya que cuando seguimos nuestros impulsos creativos, suceden cosas inusuales e inesperadas y ocurren creaciones nuevas. La creatividad, vista en su sentido más amplio, no solo se relaciona con el arte; se relaciona con todo lo que hacemos. El arte, sin embargo, sirve como una metáfora útil. La verdadera creatividad no intenta crear copias serviles de lo que ya se ha producido; hace cosas nuevas. Responde a la inspiración.

El ejercer la creatividad nos lleva, inevitablemente, a sucesos en sincronía que dan seguridad y apoyo a la persona que está creando, ya que en ese momento se trata menos de recompensas para el ego y se trata más de servir al impulso creativo. Los antiguos lo sabían, pues entendieron que el artista necesitaba seguir una disciplina que en general era muy estricta, con el fin de servir adecuadamente al arte y al oficio del esfuerzo creativo. Esto no tiene nada que ver con un artista famoso de una galería de Nueva York que gana millones de dólares de la noche a la mañana. En sus niveles más altos, se trataba del grupo de artesanos y artistas que se unieron para crear las grandes catedrales de Europa, los grandes templos de Japón, y los magnificentes palacios de la Ciudad Prohibida.

La disciplina involucrada en trabajar como parte de un equipo de artistas de hecho liberó a los artistas de todas las trampas que acabo de listar, alteraciones causadas por situaciones desequilibradas de amor, de trabajo, de pensamiento y lenguaje y de fragilidades del cuerpo, simplemente porque el trabajo siempre tuvo prioridad. Cualquiera de estas trampas puede destruir el acceso que podríamos tener a estar en el flujo y ser capaces de experimentar la sincronía que nos espera. Cualquiera de ellas puede alejarnos de la primacía del corazón y llevarnos de regreso al espacio del ego.

La mejor forma de eludir cualesquier barreras que pudieran surgir es realizar el trabajo personal interno de descender al yo, porque después de haber visto nuestro interior en las formas específicas que hemos comentado, habremos alcanzado la posición central necesaria que permita que estos otros aspectos no nos abrumen. Debemos recordarlo. Esta lucha existe todos los días. Esto es lo que Charles Swindoll tiene que decir al respecto:

> Lo extraordinario es que todos los días tenemos una elección relacionada con la actitud que adoptemos a partir de ese día. No podemos cambiar nuestro pasado, no podemos cambiar el hecho de que la gente va a actuar en cierta forma. No podemos cambiar lo inevitable. Lo único que podemos hacer es tocar la única cuerda que tenemos, y esa cuerda es la actitud. Estoy convencido de que la vida es 10 por ciento lo que me pasa y 90 por ciento la forma en que reacciono a lo que me pasa. Y lo mismo te pasa a ti… Nosotros estamos a cargo de nuestras actitudes.[2]

La cualidad final que necesitamos es el valor para comprometernos con lo que hemos decidido hacer. Así es como W. H. Murray describe los cambios que sintió cuando, después de cierta vacilación, declaró que participaría en una expedición al Himalaya.

> Pero cuando dije que no se había hecho nada, cometí un error en un asunto importante. En definitiva nos habíamos comprometido y estábamos a punto de dejar atrás nuestra rutina. Ya habíamos pagado el transporte y habíamos reservado boletos para navegar a Bombay. Tal vez esto parezca muy simple, sus consecuencias han sido de gran importancia. Mientras uno no se comprometa, hay dudas, existe la posibilidad de echarse para atrás, siempre hay falta de eficacia. En lo relacionado con los actos de iniciati-

va (y de creación) hay una verdad elemental y el ignorarla acaba con incontables ideas y planes espléndidos: que en el momento en que uno definitivamente se compromete, la providencia también se pone en acción.

De la decisión brota una corriente de sucesos, surgen cualquier tipo de incidentes, reuniones y asistencia material imprevistos que son a nuestro favor; se cruzan por nuestro camino sucesos que nadie habría podido soñar. Aprendí a respetar estos versos de Goethe: "Todo lo que puedes hacer o sueñes que puedes hacer, inícialo. ¡La osadía tiene genialidad, poder y magia!".[3]

Comprometernos con un curso de acción que es auténtico nos lleva al flujo de la sincronía, y como dice W. H. Murray, también nos sacará de nuestra zona de confort y de entornos familiares. No es posible que entremos al flujo y esperemos tener la vida ordenada que ya tenemos. La sincronía no existe para hacer que nuestra vida ordinaria sea más fácil. Existe para que podamos enfrentar luchas más importantes, para que hagamos lo que el universo necesita que hagamos. Cuando nos atrevemos a liberarnos de los pensamientos que nos restringen y a asumir el trabajo de nuestra vida, ya sea escalar una montaña o llegar a ser un artista, entramos a la armonía con sincronía. Entonces no podremos recaer en una existencia anónima en la que nuestros pensamientos tienen poco alcance y en la que llevamos vidas seguras, pues si lo hacemos nos saldremos del flujo de la sincronía.

16

Amigos

Elígelos sabiamente

Si queremos estar plenamente conscientes de los obstáculos que enfrentaremos, entonces tendremos que examinar de cerca varios obstáculos más, ya que algunos de ellos podrían ser algo inesperado, y eso incluye a las personas que tienes como amigos o amigas.

No puedes elegir a tu familia, pero puedes elegir a tus amigos, como dice el dicho. Pregúntate si consideras que esto es cierto para ti. ¿Elegiste a tus amigos o permitiste que ellos te eligieran a ti? Existe la posibilidad de que al elegirte, ellos te hayan dado un gran don, y que puedas aprender de ellos mientras disfrutas su compañía. También existe la posibilidad de que algunos de ellos te hayan elegido porque permites que refuercen algunos hábitos relativamente negativos que ellos atesoran, y parte de esa manera de pensar se te está contagiando.

Es necesario que seamos tan cuidadosos con las personas que tenemos como amigos, como lo somos con la forma en que nos alimentamos, porque todos nos hemos topado con personas tóxicas, y muchas de ellas querrán tenernos como amigos. Y a ti podría pasarte lo mismo; tal vez desees atraer a ciertas personas a tu vida porque están de acuerdo contigo, y tal vez algunos de los conceptos con los que quieres que estén de acuerdo no son muy caritativos, compasivos o elevados.

La mayoría de las personas pueden ser amigables casi con cualquiera. De eso se trata el vivir en una sociedad. Tenemos que aprender a llevarnos bien con la gente. Pero también necesitamos asegurarnos de permitir que las personas de buena voluntad y las personas que nos ayudan sean parte de nuestra vida. Nada hará que pierdas más tiempo o impedirá que aceptes un sendero de amor y compasión que conservar y apreciar a un amigo egoísta.

Si quieres valorar la experiencia del flujo y permanecer en él, tal vez necesites observar de cerca la forma en que viven tus amigos. ¿Tratan de endilgarte sus problemas? ¿Son chismosos y propagan historias que entienden a medias o "hechos" alarmistas sobre las experiencias que comparten contigo? ¿Tratan de dominarte dándote consejos que no deseas u organizando tu vida en formas que tú aceptas sin oponerte? Lo importante aquí es ver si puedes pasar más tiempo con personas que disfrutas realmente, que te ayudan a ver el mundo como un lugar mejor y más alegre.

Es difícil hacer este tipo de cosas, pues algunas personas parecen desafiar la posibilidad de identificarse fácilmente. Hace muchos años tuve una colega que quería ser mi amiga; era una persona valiosa y moral. Pero su forma de enfrentar al mundo era identificar proyectos en los que ella pudiera llegar a ser una especie de "salvadora". Le gustaba involucrarse en causas como el destino de las focas recién nacidas en el Ártico, e insistía en que las personas que conocía adoptaran esta cruzada. Cuando terminaba ese proyecto, tal vez serían las víctimas de un terremoto en China o los huérfanos de Sarajevo. Todos eran proyectos valiosos y estoy seguro de que ella logró muchas cosas maravillosas. Uno no debe preguntarse si los proyectos eran lo correcto para ella (era obvio que sí lo eran), sino preguntarse si esos proyectos serían lo correcto para las demás personas involucradas.

Si hay alguien así en tu vida, pregúntate si estas cruzadas concuerdan realmente contigo y con la forma en que prefieres actuar. Yo no elegí unirme a esta mujer, que era mi amiga, y participar en sus actividades porque, para mí, ella abordaba estas tareas con una actitud de enojo; estaba enojada porque, desde su punto de vista, no se estaba haciendo lo suficiente para resolver la situación. No estoy seguro de que lo que se necesitaba en esos casos fuera más enojo, así que yo daba lo que podía en cuanto a tiempo y dinero, pero decidí que, como dice Thích Nhât Hạnh, "cada paso es la paz": si yo no podía brindar ayuda y paz, entonces esta forma de proceder no era para mí.[1] El drama y el jaleo que creaba mi antigua amiga, de hecho no ayudaban mucho, y su tendencia a lanzarse a una tarea que podría dejarla agotada, no era útil para nadie a largo plazo, o eso es lo que yo sentía.

Tal vez sea necesario que analices a tus amistades con cuidado. ¿Te sientes en paz cuando estás con ellas? Cuando conversas con ellas, ¿te sientes como si te hubieran energizado, como si hubieras aprendido algo o lo hubieras visto con nuevos ojos? Si es así, entonces tienes una amistad que podría ser altamente productiva. ¿Sientes que contribuyes a esa amistad en los mismos términos o sientes que eres más que nada un receptor? Las amistades verdaderas se construyen, y se construyen con fuerza, porque cada persona puede darle algo a la otra. Si sientes que en general eres el que da o que en general eres el que recibe, tal vez tengas una compenetración admirable, pero no una verdadera igualdad. Valora la lealtad y no dejes de buscar una amistad en la que haya igualdad, una amistad que te impulse en la vida y te ayude a avanzar.

Para la mayoría de las personas, la amistad es un concepto relativamente superficial que se reduce al nivel de amistades informales. Apoyar a los mismos equipos, dedicarse a las mismas actividades recreativas, ya sea volar papalotes o jugar golf: estas son las cosas que muchas personas consideran amistad. Voy a expresarlo en forma más específica. Un verdadero amigo te ve tal como eres y te quiere a pesar de tus defectos. Por eso, un amigo te lanzará un reto cuando estás actuando tontamente o te dirá que no está de acuerdo contigo, ya que una amistad que se basa en el hecho de que una persona sojuzgue o niega algo que la otra considera verdad, no es una amistad verdadera.

Una mujer con la que trabajé me contó una historia desgarradora sobre el desacuerdo que había tenido con una amiga. Esta mujer decidió que correría el riesgo de perder esta amistad por siempre en lugar de quedarse callada. Como dijo: "yo no podía vivir conmigo misma si no decía algo; y sabía que prefería sacrificar la amistad y no mostrarme de acuerdo con algo que estaba mal. No estoy dispuesta a estar de acuerdo con una mentira para conservar una amistad". Estas palabras son fuertes. ¿Cuántos de nosotros habríamos tenido el valor de expresar nuestros sentimientos? ¿Cuántos de nosotros nos habríamos negado a soportar una amistad en la que había ciertos desacuerdos que habría sido imposible mencionar si la amistad continuaba? ¿Cuántos de nosotros habríamos cedido por cortesía?

Si llevamos esto un paso más allá, yo aseguraría que querer a un amigo en esta forma es una forma de experimentar el amor incondicional. La mujer que estaba protestando no dejó de querer a su amiga. En realidad, le estaba pidiendo que viviera de acuerdo con ciertas expectativas altas, y por lo tanto, le estaba mostrando más cariño, no menos.

En este mundo, es cierto que recibes aquello que decides tolerar. Si aceptas algo que no es lo mejor, eso es más o menos lo que vas a recibir. Y si en tu vida hay gente de segunda categoría, su presencia te impedirá conectarte con personas de primera categoría que están presentes en el entorno y con los mejores aspectos de ti mismo. Simplemente, no podrás ver otras opciones que están disponibles, o si las ves, no tendrás tiempo para introducirlas en tu vida porque ya tienes todas esas cosas de segunda categoría.

Lo que es peor, la gente de segunda categoría siempre intenta bajarte a su nivel. Se sienten más cómodos cuando no te está yendo bien, cuando no eres feliz. De hecho, tu éxito les molestará porque el éxito hace que ellos se pregunten por qué no han sido capaces de alcanzar más éxito en su propia vida. Tal vez eso les exija tomar decisiones difíciles. Quizás signifique que tienen que restructurar algunos acuerdos que son cómodos para ellos. No es sorprendente que prefieran hacer que tú bajes de nivel.

EJERCICIO: Haz una lista de amigos, en una columna, en una hoja de papel suficientemente ancho como para meter cinco columnas. En la segunda columna, junto al nombre de cada amigo, anota varias cosas que no puedes cambiar; un atributo que admiras, y uno que no te agrada. Tu lista podría verse así:

Emilia:	*Está dispuesta a darte todo lo que le pidas*	*Habla obsesivamente sobre sus hijos*

Cuando hayas hecho esto con varias personas, tal vez quieras seleccionar de esta lista a un par de amigos en los que podrías concentrarte y hacerte esta pregunta: ¿qué se necesitaría para cambiar esos comportamientos? Esto es lo que escribes en la tercera columna:

Emilia podría dejar de hablar obsesivamente de sus hijos si… ya hubieran crecido y se hubieran establecido en la vida… tal vez.

Ahora, para la cuarta columna, imagínate que lo que anotaste en la tercera columna ya sucedió:

Los hijos de Emilia ya crecieron y se fueron. ¿Podría ella empezar a hablar de sus nietos en lugar de hablar de sus hijos? Y en lo que concierne a su generosidad, ella dejaría de ser generosa solo cuando sintiera que no tenía que ofrecer cosas y pudiera ofrecer algo más.

¿Qué ofrecería? Anótalo.

Ahora pasa a tu quinta columna. Escribe sobre lo siguiente: ¿cuáles serían las ventajas de dejar las cosas tal y como están?

Normalmente, lo que se descubre cuando hago este ejercicio con la gente de mis grupos es que las mismas cosas de las que ellos se quejan en relación con sus amigos, como hablar compulsivamente o su generosidad opresiva, son justo las cosas que no quieren cambiar *porque si las cambiaran, tendrían que volverse más auténticos en relación con estas personas, y eso requeriría trabajo.* Tal vez ni siquiera sería divertido. Si Emilia no estuviera hablando de sus hijos todo el tiempo, tal vez podría revelarse como una persona necesitada, triste y desdichada en su matrimonio, y tal vez no nos gustaría enfrentar eso. Su generosidad opresiva podría ocultar una falta fundamental de verdadera autoestima y podría ser una máscara que ocultara su pobreza emocional. En las circunstancias actuales, podemos sentir afecto hacia Emilia, reconocer que es útil y mantenerla a distancia. Eso es conveniente. Esto también muestra una actitud amable porque no tenemos que acercarnos más de lo que queremos. Pero no tenemos que aparentar que se trata de una verdadera amistad.

Tómate un momento ahora para hacer este ejercicio y ver a tus amistades desde una nueva perspectiva. Tal vez tardes un poco para abrirte camino en este proceso, así que no te apresures. Tal vez incluso necesites esperar unos días antes de poder ponerlo en marcha.

Cada elección que hacemos, cada comportamiento, contiene un lenguaje que puede percibirse. Por eso persistimos en aferrarnos a ellos. Pero a veces lo que necesitamos no es una ventaja.

Podemos llevar esto más lejos. Las amistades son con frecuencia el microcosmos de la forma en que manejamos nuestro propio mundo, y esa es la razón por la cual este tema es tan importante. ¿Nos permitimos expresar quejas vagas sobre nuestros "amigos" y en el proceso permitimos que nos invada sigilosamente un sentido de superioridad, en lugar de intentar tener una intimidad real? Podemos elegir llenar nuestra mente y nuestro corazón con cualquier cosa que queramos, ¿pero estamos eligiendo lo mejor que podemos elegir? Tal vez el problema no es Emilia, sino nosotros.

Si este ejercicio de cinco columnas se hace con cuidado, nos mostrará varias cosas. Nos mostrará a las personas que soportamos y consideramos que son nuestros amigos o amigas, y por qué lo hacemos. Pero también puede decirnos quiénes son realmente nuestros amigos. Descubriremos que podemos ver los defectos de otras personas, las cosas que nos desconciertan, y que los aceptamos porque reconocemos la actitud real de amistad que está detrás de su comportamiento. Como lo expresó alguien al describir a un amigo de muchos años: "Es insoportable, pero no puedo dejar de quererlo".

Resumen

En esta segunda parte del libro he puesto a tu consideración una variedad de situaciones. Si no quieres cuestionarlas, te será fácil defenderlas con un buen razonamiento lógico, pero todas ellas impedirán que cualquiera de nosotros esté plenamente en el flujo de la vida. Mi tarea aquí ha sido tomar situaciones que podrían ser inconscientes para muchos de nosotros y hacerlas plenamente conscientes. Solo entonces podremos abordarlas.

Si queremos aceptar el flujo en nuestra vida y preparar el camino para la sincronía, tendremos que prestarle atención a estas situaciones. En primer lugar, debemos escuchar el lenguaje que usamos para describir nuestra vida y decidir si es apropiado o exacto. El lenguaje crea conceptos y da forma a las creencias, así que debemos ser selectivos y críticos, pues si no lo somos, podríamos convencernos de algo que no es cierto. Estos conceptos y creencias son los bloques con los que se construyen nuestros pensamientos, y muchos de ellos podrían resultar ser simples prejuicios que hemos tratado de confirmar seleccionando pruebas que los apoyan. Debemos examinar estas creencias como si fueran de alguien más, o nos atraparán.

De manera similar, como hemos visto, podríamos hacer algo peor y no escuchar los mensajes que nos manda nuestro cuerpo, que no es lo mismo que intentar acallar esas comunicaciones. Esta poderosa corriente de energía preverbal siempre nos pondrá en el camino correcto, pero solo si escuchamos su lenguaje no verbal y sabemos lo que está diciendo.

Sin embargo, los impulsos del cuerpo pueden ser rebeldes, así que también debemos asegurarnos de que el mundo del amor físico y el sexo, con su poderosa habilidad para vencer a otros sentimientos, no llene nuestra vida a tal grado que no podamos ver las demás cosas que están pasando.

Esto se traslapa por completo con el mundo del trabajo y con la forma en que decidimos llevar nuestra vida de trabajo y nuestra carrera. Lo que decidimos creer sobre el trabajo es en esencia lo que creemos sobre todo nuestro mundo; hasta que chocamos con una roca, tal vez en la mediana edad, y sentimos que tal vez es necesario repensar todas nuestras creencias sobre lo que hacemos. Los momentos en que esto sucede pueden ser devastadores.

Y así como tenemos compañeros de trabajo que apreciamos y valoramos, también tenemos amigos que comparten nuestra vida. Los amigos inconvenientes pueden ser tan limitantes como una carrera profesional inadecuada. Nuestra tendencia a ocultar esto de nuestra capacidad consciente superior es incluso un peligro mayor, puesto que las amistades y la familia son, para muchos de nosotros, la razón por la cual hacemos lo que hacemos. Si nos desilusionan, podríamos descubrir que no tenemos en qué apoyarnos. Al menos eso es lo que tememos.

Quisiera repetir una vez más lo que he dicho antes. Las secciones sobre las trampas en las que podemos caer no están aquí para criticar o condenar a nadie. Mi esperanza es que estas palabras actúen como advertencias y que también nos permitan ver las situaciones con verdadera comprensión. Muchos de nuestros amigos no están tratando conscientemente de obstaculizarnos; sin embargo, de todos modos podrían hacerlo si ellos no están plenamente conscientes y si nosotros no estamos alerta.

Cuando de hecho vemos lo que está pasando, podremos incrementar nuestra comprensión y acercarnos a la compasión, porque estoy seguro de que también nos hemos hecho esas cosas a nosotros mismos. Como Dante cuando recorrió el Infierno, no necesitamos condenar a las personas que ya están sufriendo, que están encerradas en la forma que ellas mismas eligieron para no llegar a ser libres. Merecen nuestra compasión porque son iguales a nosotros. Y exactamente igual que Dante, debemos aprender de lo que observamos, para no cometer los mismos errores. Las trampas del ego están en todas partes.

17
Más barreras a la sincronía

Familia

Los problemas familiares pueden ser muy agobiantes. Hasta en las situaciones más afectuosas, los miembros de la familia y las políticas familiares pueden hacer que seamos reactivos y en esa forma impedir que estemos alerta a lo que está sucediendo en el momento; esto no permite que estemos conscientes de la existencia del flujo y que podamos aprender a usarlo para mejorar nuestra experiencia de la vida. Obviamente, muchas familias prestan apoyo a sus miembros, pero siempre hay disputas en algún lugar, siempre hay algo que las mantiene fuera de equilibrio.

La razón de esto es muy clara: nuestras familias han desarrollado una historia que nos afecta, la cual empezó mucho antes de que naciéramos, y debido a lo que somos, sus palabras cuentan más que las de otras personas. Podemos ignorar lo que dicen, pero se necesita mucha más energía para "olvidar" una palabra ofensiva de un miembro de la familia de la que se necesita para descartar el mismo comentario si lo hubiera dicho alguien más. De hecho, tal vez nunca olvidemos algo que se dijo en forma descuidada, aunque aparentemos que lo hemos borrado.

Incluso es más difícil evaluar la forma en que la familia entiende las cosas y sus hábitos de pensamiento, muchos de los cuales nunca se expresan en forma coherente. Los niños de cuatro o cinco años de edad ya están empezando a jugar y a pensar en lo que será su propia familia cuando ellos crezcan y también sean padres. Podemos estar seguros de que esas mentes jóvenes y receptivas ya están estructurando una visión de cómo quieren que sea su futuro mucho antes de conocer los hechos de la vida. Muchas de esas proyecciones se mantienen casi sin cambio hasta la vida adulta. Tales actitudes no expresadas en ocasiones se han transmitido de generación en generación. Por eso no es sorprendente que sea difícil alterarlas.

Esto no siempre es un problema. Es parte de la familia o de las costumbres de un grupo social o de una cultura. Pero puede ser un aspecto negativo. Un padre de familia que no es cariñoso o que está centrado en sí mismo puede causar mucho daño cuando se aferra a esta proyección inconsciente en situaciones en que la vida real resulta ser muy diferente.

En el mundo occidental, donde el núcleo familiar o alguna versión de él es el modelo que vemos con más frecuencia, el tamaño pequeño del sistema familiar hace que las cosas sean más difíciles. Alejados del entorno tradicional de las aldeas llenas de parientes cercanos y de personas que han vivido ahí por mucho tiempo, que es el entorno que se vive en algunas otras sociedades, nos encontramos en una estructura familiar que, en su mayoría, se limita solo a los miembros inmediatos de la familia, que están cerca de otras casas suburbanas donde viven personas extrañas o simples conocidos. En esas circunstancias, la familia se vuelve claustrofóbica, de modo que la aprobación o desaprobación de los padres tiene un mayor peso emocional.

Por ejemplo, justo el otro día, una escuela en una ciudad de Massachusetts, prohibió que los padres de familia asistieran al partido de campeonato de baloncesto del distrito porque al parecer los padres tendían a discutir con los árbitros, a gritar cosas desagradables desde las tribunas y a pelear con otros padres de familia. Tal vez podría culparse a algunos alborotadores, tal vez podríamos darnos cuenta de que lo que los padres han invertido para que sus hijos estén en un equipo triunfador en cierta forma no corresponde con la realidad. Esto seguramente es el resultado de ese sistema familiar claustrofóbico y complicado que he descrito.

También está el incidente en el que un padre de familia de 113 kilos de peso tuvo un desacuerdo con lo que la superintendente de escuelas, una mujer de 54 kilos de peso, dijo en una reunión privada, así que le dio un golpe en la cara y le fracturó la nariz. Date cuenta de que estamos hablando de un padre de familia. Podría yo añadir más ejemplos, pero simplemente serían momentos tristes en que los padres de familia estaban confundidos.

Para nuestros propósitos, lo importante es recordar que cuando la familia se involucra demasiado tiende a crear discordias. Y la discordia siempre mantiene a las personas fuera del flujo. Así que esta es la regla general: todo lo que diga un padre o un miembro de la familia tiene una fuerza aproximadamente cinco veces mayor para molestarte o consolarte que si lo dijera cualquier otra persona. Esto significa que los miembros de tu familia tienen un poder para destrozar tu tranquilidad que es al menos cinco veces más grande que el poder que tienen otras personas.

En vista de que formamos nuestro sentido personal del ego (lo que nos gusta, las personas que queremos y por qué) ante todo en nuestros primeros años, cuando estamos en casa viviendo con la familia, creo que puedes ver lo poderoso que es esto. Respondemos a las alabanzas o al desagrado de nuestros padres desde nuestro espacio del ego, porque cuando somos muy jóvenes eso es prácticamente lo único que tenemos. Y como sabemos, cuando actuamos a partir del espacio del ego, no estamos actuando a partir del espacio del corazón. Al relacionarnos con la familia, nos ofendemos con más facilidad y necesitamos alabanzas con mayor urgencia.

Este es un ejemplo que podría ayudar. Un hombre mencionó que en la fiesta de su noveno cumpleaños su madre parecía estar contrariada. Después, ella le dijo que sus amigos no tenían la calidad que ella esperaba. En ese momento el niño se sintió confundido porque se trataba de sus amigos de la escuela, los hijos de los vecinos con los que a menudo compartía el transporte. ¿Quiénes se suponía que deberían ser sus amigos? Su desconcierto era genuino y el golpe contra su ego fue más fuerte de lo que él pudo entender.

Décadas más tarde, se dio cuenta de que a partir de ese día, llevó muy pocos amigos a su casa, y conservó ese hábito hasta después de los treinta años de edad. Sentía que era muy ofensivo tener que exponerse en esa forma. Bueno, tal vez la madre tenía ambiciones sociales, o tal vez solo quería lo mejor para su hijo. No podemos saberlo. Solo podemos observar que se causó un daño. Fíjate cómo sucedió y trata de estar alerta en el futuro. El ego lastima al ego, pero no puede lastimar a la persona que decide trabajar a partir del corazón.

Es probable que todos respondamos en esa forma a lo que percibimos como una ofensa, si la recibimos estando en el espacio del ego. Simplemente es un viejo hábito. En la infancia estamos tratando de desarrollar un ego saludable; por eso, cuando estamos cerca de nuestros padres o parientes, tendemos a recurrir a esos antiguos hábitos de pensamiento, a esos hábitos de ser del ego. Es una trampa y necesitamos estar conscientes de ella para evitarla.

Sonríe, encógete de hombros, y muéstrale cariño a la persona, pase lo que pase.

Esta es otra comparación que podría ser de ayuda. Imagina una familia viajando en un coche. Todos están ahí, sujetos con los cinturones de seguridad y con las puertas cerradas. Todos van hacia el lugar que los que toman las decisiones en la familia decidieron que tenían que ir; sin importarles si los demás están o no totalmente de acuerdo con ese destino. Es el viaje de vacaciones de la familia y el coche va muy cargado. Ahora imagina que se les poncha una llanta y están a kilómetros de distancia de la civilización. Quizás ni siquiera los teléfonos celulares funcionan ahí. La persona que está conduciendo el auto no quiere detenerse y cambiar la llanta; sino que decide seguir adelante aunque no puede conducir rápido, mientras la llanta se hace pedazos. Tienen la esperanza de toparse con un taller mecánico. Puedes imaginar esta escena.

Esto es lo que suele suceder cuando la familia enfrenta cierto tipo de crisis que no sabe cómo resolver. Deciden mantenerlo todo en su lugar y solo tratan de sobrellevar la situación. ¿Por qué? Porque levantar el auto con un gato y cambiar la llanta significaría que todos tendrían que salirse del coche y sería necesario vigilarlos para que no se alejaran. Tendrían que sacar el equipaje de la cajuela, buscar la caja de herramientas, etc. Esto implicaría toda una reorganización de todo, en especial del equipaje. Y si estuviera lloviendo, menos ganas tendrían estas personas de intentar cambiar la llanta.

Pero si estuvieras solo en tu propio coche, sospecho que no harías esto. Saldrías del auto y tratarías de arreglar la llanta ponchada o de detener a otro automovilista. De todos modos, como estarías solo, sería más fácil corregir la situación. Como la familia es una unidad cerrada y con ciertos patrones de conducta y formas de hacer las cosas, le es más difícil tomar pasos radicales cuando es necesario.

Si sientes que este escenario describe a tu familia, entonces tal vez ha llegado el momento de empezar a actuar por ti mismo. La cohesión que fortalece a las familias a menudo puede impedir que cambien de acuerdo con las circunstancias cambiables de la vida real. Apoya a tu familia, muéstrale cariño, muéstrale lealtad, pero ante todo sé leal contigo mismo.

Las pruebas y por qué las necesitamos

Todos los ejemplos que he presentado a partir del Capítulo 10 han sido situaciones que pueden ponernos una prueba. Tal vez lo más importante, y también lo más difícil, es recordar que todos seremos sometidos a pruebas. La mano del destino que nos guía, la mano de Dios o de la Divinidad, nos dará muchas cosas buenas. También nos dará algunos momentos difíciles que tendremos que enfrentar. Esto no parece justo. Después de todo, si estamos haciendo nuestro mejor esfuerzo para entender lo que está pasando, ¿por qué se nos tiene que tratar con tanta dureza?

Esa es una buena pregunta. Nuestra mejor respuesta es entender que para que el universo pueda hacer lo que tiene que hacer, necesita que seamos tan fuertes como sea posible, así que nos pone a prueba para ver cómo hemos asimilado sus lecciones. Como somos humanos, tenemos la maravillosa capacidad de recibir información, pero podríamos olvidarla en segundos si estamos bajo estrés. Lo importante es tratar de recordar que debemos mostrarnos amorosos, incluso cuando nos enfrentamos a tremendas provocaciones y nos sentimos angustiados; que debemos ser optimistas incluso cuando todo parece estarse derrumbando. Cuando lo hacemos, incrementamos nuestra fuerza interior y desarrollamos nuestra fe interior. Debemos ser capaces de hablar positivamente y también de hacer buenas obras.

Esto es importante porque existen tres formas de conocer algo. La primera es saber que algo existe. Por ejemplo, sé que Mongolia existe, pero no dedico mucho tiempo a pensar en ello. La segunda clase de conocimiento es saber sobre algo en forma abstracta: puedo leer sobre Mongolia y descubrir muchas cosas sobre su geografía y su clima. Y la tercera forma de conocer se basa en la experiencia: puedo ir a vivir a Mongolia. Las pruebas de las que estamos hablando exigen que conozcamos nuestra vida en estos tres niveles.

Las pruebas siempre tienen que ver con el ego. "¿Por qué me hace esto el destino?", esa es una pregunta que se relaciona CONMIGO, con lo que creo que merezco o con la forma en que creo que deberían ser las cosas. Pero como sabemos, no solo se trata de mí; se trata de ceder el control a un poder mayor al nuestro y tener fe en él. El mundo necesita personas que se van a esforzar mucho y nos van a ayudar a llegar a un lugar en el que hay más amor y compasión. No necesita que lloremos o nos quejemos. Christian Larson escribe sobre este tema con una fuerza singular:

> Decide permanecer tan fuerte y decidido y con tanto entusiasmo durante la noche más oscura o la peor adversidad, como lo eres durante el día de prosperidad más brillante. No te desilusiones cuando las cosas parecen decepcionantes [...] El hombre que nunca se debilita cuando las cosas están en su contra será más y más fuerte, hasta que todas las cosas buenas lleguen a ser suyas. Al final tendrá toda la fuerza que desea o necesita. Sé fuerte siempre, y siempre llegarás a ser más fuerte.[1]

Lo que él dice tiene un eco en las palabras de la mística Eileen Caddy, que escribe:

> Que tu fe sea fuerte e inconmovible. Alégrate y gózate cuando tu fe se pone a prueba, porque esto la fortalece hasta que llega a ser como una roca y puede soportar las tormentas y tempestades de la vida sin inmutarse.[2]

Estos sentimientos han resonado, de una u otra forma, a lo largo de las eras; y el hecho de que nosotros, los lectores, creamos o no en la doctrina exacta de los escritores originales, no es importante. Cada escritor estaba describiendo un proceso psicológico esencial que, en esencia, siempre es el mismo. Seguir el camino por el que la mano que nos guía desea llevarnos, requiere valentía de nuestra parte, y sobre todo requiere que hagamos crecer esa valentía y esa fe. Las pruebas permiten que crezca la valentía. Solo entonces podremos representar plenamente el papel que nos corresponde en el patrón grande e incomprensible del que estamos llamados a ser parte.

Imagina que empiezas a escribir una novela, un poema o una biografía que siempre sentiste que tenías que escribir. Sientes la inspiración y empiezas a escribir. Más tarde esa noche, alguien te habla por teléfono, tal vez un antiguo amigo que fue cruel contigo, y la tentación es sentirte molesto, enojado, triste... y abandonas la tarea que habías comenzado con tanta energía unas horas antes. Eso es una prueba. ¿Vas a continuar con lo que sabes que es necesario hacer, o te vas a hundir en la autocompasión?

Uso este ejemplo porque es algo que me ha sucedido, y les han ocurrido cosas similares a otras personas con quienes he hablado. Ha sido sorprendentemente común como prueba. Para mí la lección fue difícil, pero simple al mismo tiempo. Deja ir la actitud de la otra persona y *no tengas resentimiento.* Cuando perdonamos, nos desprendemos de esos sentimientos. Si no puedo escribir con perdón en el corazón, ¿qué clase de mensaje escrito estaré produciendo?

18

Todavía más barreras

Enfermedad

La enfermedad puede ser una prueba, tal vez la prueba más difícil. Consume mucho tiempo, energía y ansiedad, y en muchas formas es una de las cosas más difíciles que todos tenemos que enfrentar, ya que parece venir del exterior, como si la mano cruel del destino dejara caer la enfermedad sobre nosotros.

Sin embargo, también estoy consciente, a partir de mi propia experiencia, que la enfermedad puede presentarse debido a algo que nos hacemos a nosotros mismos, a la forma que llevamos nuestra vida, a lo que comemos o vivimos. La enfermedad puede ser una llamada de alerta con el estruendo de trompetas, si estamos dispuestos a cambiar nuestra forma de pensar. También podría ser un sendero espiritual, ya que nos exige seguir siendo nosotros mismos y no volvernos pasivos en medio de las órdenes, aparentemente al azar, de cualquier clase de médicos y especialistas. Esto es lo que nos dice la Dra. Christiane Northrup, autora de *Women's Bodies, Women's Wisdom [Cuerpo de mujer, sabiduría de mujer].*

> Mi tarea no es matar al mensajero de mi enfermedad ignorándolo, quejándome de él o simplemente reprimiendo mis síntomas. Mi tarea es examinar mi vida con compasión y honestidad e identificar aquello que clama pidiendo amor, aceptación, armonía y plenitud.[1]

Esta es una forma muy reveladora de ver las cosas, y de seguro debe ser al menos una parte del proceso de sanación.

Sin embargo, muy a menudo las personas se apegan a su identidad como una persona que padece un mal en particular, y se identifican con la enfermedad a tal grado que no pueden desprenderse de ella sin reducir su percepción de lo que ellas son. Esta simplemente es otra trampa del ego. Si decimos que somos alguien que padece X o Y, tenemos una identidad que otros pueden reconocer y a la que podemos aferrarnos, y tener razones para vivir como vivimos.

Esto también puede funcionar a la inversa. Cuando no queremos hacer algo, podemos decir que tenemos fragilidades físicas, si lo deseamos. No puedo ir a visitar a la tía Magdalena porque soy alérgico a sus gatos. No puedo ir a esquiar debido a mi rodilla, mi muñeca, mis tobillos, etc. Una amiga mía muy querida que es vegetariana, tenía grandes deseos de viajar por los desiertos del norte de África, donde casi toda la comida de los restaurantes contiene cierto tipo de carne. Ella descubrió que era más fácil decir que había razones médicas por las cuales ella tenía una dieta vegetariana, porque no podía hacer que la gente entendiera que no quería comer carne de animales. Las excusas relacionadas con la salud son muy útiles para obtener lo que deseamos.

Esto nos lleva a preguntar en qué medida las enfermedades son reflejos de desequilibrios físicos, y en qué medida son cosas que estamos ocultando. Louise Hay incluye unas tablas muy extensas y útiles en su excelente libro *You Can Heal Your Life [Puedes sanar tu vida]*, en las que vincula las enfermedades a áreas psicológicas de dolores o tensiones con los que la persona no se ha reconciliado. Esta es una idea familiar en la medicina tradicional china y ayurvédica, que tienen un fundamento empírico muy sólido.

Por ejemplo, es probable que a las personas que tienen problemas en la garganta se les haya negado la oportunidad de expresarse. Menciono este ejemplo de manera específica porque yo tuve este problema cuando era más joven. Cuando encontré un espacio para expresarme en la vida, descubrí que no tenía tantos de los terribles síntomas relacionados con la irritación o la infección de garganta. Todavía aparecen de vez en cuando, pero usualmente aparecen cuando estoy en una situación en que tengo que hablar demasiado y en que tengo que hablar con personas que no parecen receptivas a lo que tengo que decir. Esto ocurre muy a menudo en la enseñanza a nivel universitario, te lo aseguro. Además, tus males podrían ser un mensaje de tu cuerpo que necesitas recibir.

Cuando aprendí a no concentrarme en la "cura" para mis problemas de la garganta y dejé de buscar medicamentos que me hicieran sentir alivio, pude notar que la enfermedad me estaba mostrando una poesía muy especial, y que al entender el mensaje yo podría alterar la enfermedad. Para mí, la irritación de garganta se relacionaba con frustraciones al expresarme, sí... pero también con mi tendencia a inclinarme hacia el frente al hablar y doblar los hombros, cuando trataba de convencer a otros de algo.

Esta postura corporal de hecho hacía que mis cuerdas vocales, mis pulmones y mi garganta, estuvieran bajo mucha más tensión. Yo estaba causando mi enfermedad. Físicamente, estaba haciendo exactamente aquello que me impediría hablar... y al hacerlo no permitir que yo viviera la experiencia desalentadora de que otros no pudieran escucharme bien.

En tiempos de guerra, los soldados experimentan "neurosis de guerra" (que hoy en día también recibe el nombre de trastorno por estrés postraumático o TEPT), lo que significa que se les debe alejar del frente; de la misma manera, yo a mi manera, había decidido alejarme. La cura era tan sencilla y tan alejada de la manera de pensar que se basa en causa y efecto, como podría imaginarse. Tal vez, la sabiduría convencional me habría aconsejado que diera menos clases, que usara menos mi voz. Pero lo que yo necesitaba era expresarme. Así que di más clases, pero en otro lugar, donde mis ideas se escucharan plenamente. Escribí más. Mantenía una postura erguida en mis clases y me expresaba con más libertad. Los problemas de garganta se evaporaron.

Es obvio que no todas las enfermedades son así. Pero hay suficientes enfermedades que en general son similares, que podemos observar ese patrón. En su nivel más fundamental, representan un conflicto entre el corazón y la cabeza. Mi cabeza me dice que debo continuar en el trabajo; mi corazón me dice que ese trabajo está destruyendo mi alma y que en realidad lo mejor sería dejarlo. La cabeza vence al corazón, al menos a corto plazo, pero a la larga el cuerpo empieza a mostrar la tensión, y el corazón comprueba ser un órgano más fuerte.

Tomate tiempo ahora para considerar cualesquier enfermedades o molestias que podrías tener. ¿Pudiste verlas en forma diferente basándote en lo que hemos estado considerando? ¿Qué podría estar tratando de decirte tu enfermedad?

Una joven que asistió a uno de mis talleres sufría el síndrome de intestino irritable. Describió cómo se pasaba la vida tratando de apaciguar a sus padres y a su novio, que era mucho mayor que ella y la descuidaba mucho. Dijo que les tenía miedo y que había sentido ese miedo durante años. El miedo definitivamente causa molestias estomacales e intestinales. Ella tardó mucho en siquiera admitir la posibilidad de una conexión entre estas cosas, pero cuando lo hizo, sus síntomas empezaron a reducirse.

Al hablar de sus síntomas, descubrió que otras dos jóvenes que asistían al taller sufrían exactamente lo mismo, aunque no en forma tan aguda; y que el miedo era también una parte importante de su vida. Estas tres jóvenes se unieron y formaron un sistema de apoyo que no tenía nada que ver con la medicina moderna y tenía mucho que ver con lograr tener un sentido de causa personal. Todos sus síntomas mejoraron y ellas lograron ser más fuertes físicamente.

Podría yo añadir más ejemplos, pero todos señalarían lo mismo: la enfermedad y la psique a menudo están unidas, y las molestias resultantes impedirán que cualquier persona sea capaz de ver el flujo y la sincronía, y no puedan tener acceso a ellos. Por el contrario, entrará en armonía con el flujo negativo, que es el área donde el miedo crea mayores disturbios. Al concentrarse en sus sentimientos negativos de miedo, estas jóvenes solo habían logrado manifestar más falta de seguridad de la que ya sufrían. Esa es la ley de atracción. Cuando enfrentaron sus miedos, ya no necesitaron que la enfermedad les dijera lo que ellas no querían admitir.

19
Las ocho barreras a la sincronía

Las ocho barreras que hemos analizado hasta ahora son aspectos esenciales de nuestro mundo: el lenguaje que usamos, los mensajes que recibimos del pasado, la forma en que tratamos a nuestro cuerpo, nuestro trabajo, nuestros amigos, nuestra familia, nuestras enfermedades… todas estas cosas son tan ordinarias y tan vitales como el respirar. Contienen lo que hace que la vida sea dulce y también lo que puede hacer que sea extraordinariamente dolorosa.

Estoy consciente de que, al escribir esta crítica, podría hacer que tú, el lector, sintieras que estoy atacando todo lo que aprecias, o que estoy criticando a las personas que amas, o que no acepto el gozo implícito en las diferencias y en la diversidad humana. No estoy tratando de hacer eso. Sin embargo estoy señalando las formas en que estas actividades, que tienen el potencial de enriquecer la vida, pueden llegar a ser una forma de minar lo mejor de nosotros mismos, y notarás que he sugerido formas para llegar a estar conscientes de esto y valorar lo que cada uno de estos elementos tiene de bueno.

Mi propósito ha sido señalar las diferentes formas en que podemos alejarnos de la paz y de la actitud centrada que nos permite aceptar las energías del universo, el flujo que viene del corazón. Es cierto que aquello en lo que nos concentramos tiende a crecer en nuestra mente, pero al identificar los obstáculos será más fácil evitarlos. En mi propia vida, hago una evaluación cada noche con mi esposa, y hablamos de estos problemas potenciales... problemas a los que otros nos invitan, y problemas en los que caímos ese día. Lo hacemos con un espíritu que dice: "mira, esa es otra área de problemas. No avancemos en esa dirección. Seamos compasivos con aquellos que han quedado atrapados en ella".

Esta verificación es especialmente útil cuando las personas que están atrapadas en esta forma son personas que encontramos todos los días. En esta forma, recordamos nuestro deseo de seguir incrementando nuestra capacidad de permanecer en la vibración emocional más alta. También nos recuerda que debemos ser agradecidos, pues sabemos muy bien lo que significa estar ahí. Tal vez no hace mucho tiempo estábamos ahí también, y tal vez mañana estemos de nuevo ahí. Esto significa que aceptamos que otros podrían estar en un lugar diferente al lugar en que estamos nosotros, pero no permitimos que su forma de hacer las cosas nos moleste.

Todos los "defectos" que he identificado y comentado en este libro son ejemplos de la vida real. Podemos verlos como las acciones de otros a las cuales nos adaptamos, pero no olvidemos que estos errores también existen en nosotros mismos. Solo que es más fácil verlos en otros. Si reconocemos ese importante factor, es más fácil que sintamos compasión hacia nosotros mismos y hacia otros. Podremos desprendernos de nuestros juicios sobre nosotros mismo y de nuestros juicios sobre otros; ya no necesitamos culpar a nadie. Cuando hacemos esto, nos liberamos de la sujeción del ego, que tiene mucho que ver con hacer juicios. La actitud del corazón no es juzgar sino perdonar. Primero nos perdonamos a nosotros mismos, luego perdonamos a otros... porque son como nosotros.

Junto con este deseo de ver las dificultades, pero permanecer en el espacio positivo, hay otra práctica que necesitamos volver a enfatizar aquí. Si quieres experimentar lo mejor de tu vida, es esencial que atraigas a tu vida más de aquello que es bueno, y que lo hagas todos los días. Por lo tanto, haz ahora una lista de aquello que quieres que esté más presente en tu vida. Lo sé... ya lo hicimos antes, pero este es un momento muy apropiado para repetir este ejercicio. Ahora podrás poner a prueba las ideas que hemos estado comentando.

Al concentrarte en lo que quieres, será más fácil para ti desprenderte de lo que no quieres o no necesitas. Esto funciona de la misma forma que cuando compras un abrigo nuevo o una prenda de ropa igual a una que ya tienes; eso te permite que hagas a un lado la prenda que habías usado hasta ese momento, que tal vez ya se vea un poco vieja. No puedes usar ambas prendas al mismo tiempo. Así que te quitas la prenda vieja y te pones la nueva.

Cuando hagas tu lista de las cosas que quieres que haya más en tu vida, recuerda ser específico. Recuerda aplicar todas las percepciones que has tenido al leer este libro. Tal vez creas que quieres tener más dinero, cuando en realidad lo que deseas es más abundancia de cosas buenas en tu vida. ¿Recuerdas al hombre que quería un trabajo bien pagado? Lo consiguió, pero no encontró la paz que era lo que en realidad deseaba. Asegúrate de pedir lo que deseas.

Cuando lo pedimos en esta forma, el universo tiende a proporcionarnos lo que necesitamos. Esto no es una forma de hacerse ilusiones, no es hechicería. Cuando sabemos lo que deseamos, vemos con más claridad cuánto de lo que deseamos ya está presente, justo frente a nuestros ojos, y entonces podemos crear estrategias para hacer que lo que necesitamos realmente nos suceda.

El hombre que quería "una gran esposa y compañera para la vida" tuvo que pensar en lo que eso significaba para él (no la versión que otros pudieran darle). Decidió que necesitaba a una mujer inteligente que se interesara en el crecimiento emocional y personal, que estuviera más consciente que él en lo emocional, que hubiera visto el mundo y hubiera aprendido a no tomar las cosas demasiado en serio, y que fuera muy autosuficiente en lo emocional. Al principio dijo: "No quiero un caso perdido", y tardó un poco en expresar esta idea de manera específica, acentuando lo positivo. Cuando formuló su deseo con mayor precisión, empezó a notar que en realidad había mujeres de este tipo; aunque él no las había visto porque había estado contemplando a las rubias bien bronceadas y de piernas bonitas. El universo siempre le había dado lo que él necesitaba, pero él no había sido capaz de verlo.

Esto me recuerda una de mis líneas favoritas de *My Fair Lady [Mi bella dama],* la versión musical de *Pygmalion,* la obra teatral de Bernard Shaw, en la escena en que el recolector de basura canta:

> El Señor te lanza bondad,
> Pero con un poco de suerte, un hombre puede esquivarla.

Quizás sea más fácil para nosotros esquivarla, porque si atrapáramos algo de esa bondad, tendríamos que hacer algo con ella, y a menudo eso parece trabajo arduo. Así que esto es lo que podemos hacer que nos ayudará a no quedar atrapados en el ego de otras personas: recordemos todos los días que hay otra forma de hacer las cosas.

Algunas personas hacen esto a través de la oración, a través de la meditación, haciendo yoga o participando en ejercicios que hacen que su mente se centre. Son buenos métodos. El más sencillo, el que puedes empezar en este momento, es formar el hábito de usar cierto tipo de afirmaciones diarias. Hay libros y calendarios que tienen una nueva afirmación para cada día. Los libros de Eileen Caddy me han ayudado mucho. También hay muchas organizaciones que ofrecen esta clase de afirmaciones.

Por ejemplo, Lilou Macé, anfitriona en Internet, creó lo que ella llama "Los Retos de Cien Días", donde les pide a los participantes que escriban, que anoten en un diario, en un blog, o que simplemente se pongan en contacto con sus pensamientos positivos sobre un tema específico, y que lo hagan durante 100 días, todos los días. Es deliciosamente sencillo. Y funciona. Si a lo largo de 100 días, te recuerdas, por ejemplo, que eres valioso como persona y que mereces respeto, al final de ese periodo habrás cambiado sustancialmente tu actitud.[1]

El sitio web de Lilou es gratuito y hay muchos otros sitios similares. Con un poco de investigación, cualquier persona puede encontrar una comunidad de personas afines en Internet. Todas estarán dispuestas a animarse unas a otras y ayudarse a avanzar. Todas ellas harán el trabajo de escribir, meditar, entrar al blog o leer textos breves que les den inspiración, y estarán presentes cuando alguien se topa con un obstáculo. Nunca tendrás que caminar solo, y al caminar con otros, podrás mantener el ritmo que deseas. En lugar de pedirles a tus amigos que te ayuden (esos amigos que de hecho podrían ser parte del problema que hace que estés atorado), puedes ponerte en contacto con peregrinos que como tú avanzan por un sendero personal de crecimiento individual. Es como participar en una conversación con gente buena siempre que lo necesites. Cada día tienes una opción: regresar a la misma situación que te mantenía atorado, o encontrar una nueva.

Hay muchas grabaciones con meditaciones y visualizaciones guiadas que es fácil conseguir, y muchas de ellas son gratuitas. Algunas pueden encontrarse en Internet, en YouTube (estoy pensando en www.WellnessExperiment.com, por ejemplo), y muchas son excelentes. Durante 10 minutos al día, puedes escuchar estas meditaciones y sentirte renovado. Esto te ayudará a centrar tu vida y a cambiar la forma en que te mueves en el mundo. Tal vez YouTube no siga existiendo en su misma forma por siempre, pero no dudo que las personas que proporcionan estas maravillosas meditaciones seguirán creándolas. En esta forma nutrirás los mejores aspectos de ti mismo.

Algunas personas dan el siguiente paso y se unen a una comunidad internacional. Findhorn es ese tipo de comunidad. Es una villa ecológica que se encuentra en Escocia; es un centro internacional de talleres y una comunidad espiritual. Otras personas prefieren participar en peregrinaciones en Europa, usando esta experiencia como meditación. Otras siguen a un maestro o a un gurú. Debes hacer lo que te parezca más auténtico.

Estos dos enfoques son esenciales: identificar y evitar lo que es malo y aceptar y nutrir lo que es bueno. Con frecuencia, uno puede eludir lo que no es deseable concentrándose solo en lo que es bueno, pero no siempre es posible hacerlo. El Dalai Lama envió amor y perdón a los invasores chinos que estaban asolando su patria y asesinando a sus seguidores, pero también se aseguró de evitarlos y huyó a la India.

De hecho, este doble enfoque podría ser una forma importante de recordar la polaridad que hay en nuestro interior. Según un verso que aparece en el *Rig Veda,* dos aves están en el Árbol de la Vida. Una de ellas está picando la fruta y comiéndosela; la otra ave la está observando.[2] La metáfora es deliciosamente simple, porque en nuestro interior podemos encontrar a estas dos aves. Estamos luchando en nuestra vida diaria, consumimos y vivimos, y también podemos observar las cosas sin involucrarnos. El Árbol de la Vida necesita a estas dos aves, necesita equilibrio. Para nosotros, esto significa que hay ocasiones en que debemos huir de nuestros enemigos y tener la esperanza de que serán redimidos. Significa que la renta debe pagarse y que necesitamos una vida espiritual para hacer que valga la pena vivir nuestra vida.

Es obvio que necesitamos prestar atención a lo que hay en nuestro interior y es santo, y a lo que está en el exterior que podría lastimarnos. Hacer menos sería insuficiente, y aparentar que podemos ignorar el mundo exterior es arrogancia intelectual disfrazada de santidad.

Si nos alejamos de esta visión por un segundo, podemos ver que los mitos respaldan esta idea de identificar los obstáculos y al mismo tiempo fortalecer lo que es santo y está en el flujo. Cuando el Buda estaba buscando la iluminación, se enfrentó a muchas tentaciones, de manera específica, la lujuria, el miedo y el sentido usual del deber. Esto con frecuencia se representa en las estatuas de Buda como figuras que están a su alrededor y que él ignora. Son similares a lo que he estado considerando aquí. Ya hemos visto estas cosas como problemas del amor y el sexo, como creencias que nos limitan y como exigencias de la sociedad y de la familia.

Damos un salto de 500 años y vemos que Jesús también sufrió tres tentaciones; tuvieron que ver con el bienestar físico (convertir las piedras en pan), con la ambición y el deseo de poder político (lograr que todas las naciones se inclinaran ante él), y con el orgullo espiritual (Dios lo protegería si él saltara desde lo más alto del templo). Las tres tentaciones no son iguales, aunque podríamos decir que no son tan diferentes entre sí. También es interesante que cuando Jesús rechaza las tentaciones, lo hace citando las palabras de Moisés. En esta forma el tema de las tentaciones tiene un firme vínculo con la antigua tradición Mosaica.

Es bastante claro que esto es un punto de cambio distintivamente mítico. Lo importante es que en los tres casos, cada tentación se reconoce como un punto esencial de desarrollo, en el que cada persona podía identificar y rechazar obsesiones culturales dominantes. En cada caso, estas tentaciones amenazaban con impedir que la persona fuera quien necesitaba ser.

Nosotros estamos haciendo lo mismo. Puedes cortar y fragmentar las tentaciones en cualquier forma que necesites hacerlo, y ciertamente puedes encontrar más de tres categorías. Lo importante es que la estructura mítica reconoce esto como el punto en que debemos tomar decisiones, para que la compasión que hay en nosotros con tanta abundancia pueda cobrar existencia. Eso es lo que puede decirnos el mito, y puede guiarnos en nuestra vida si deseamos usarlo como punto de comparación.

Obviamente, no necesitamos ser Buda para experimentar la sincronía; sin embargo, las formas más altas de sincronía se encarnan en Buda, en Jesús, en Moisés y en otros. Cuando estas figuras hacían cosas importantes en favor de otros, les sucedieron cosas maravillosas. Eran personas que tenían necesidades, por supuesto, sin embargo, estaban al servicio de un propósito superior. El error que cometen la mayoría de las personas cuando escuchan sobre las Leyes de Atracción o sobre El Secreto, es que piensan en las cosas buenas que desean para sí mismas. Esto es muy natural. Viene del espacio del ego. Y en general no funciona.

Cuando decidimos ver más allá de nosotros mismos y llegamos a ser lo que la Divinidad necesita que seamos, esa sincronía puede realmente asumir un papel activo en nuestra vida. Cuando aceptamos que nuestro propósito es ayudar al mundo a avanzar hacia algo mejor, en realidad estamos renunciando a nuestras ambiciones personales y nos estamos poniendo en manos del destino, del hado o de la Divinidad. "Que se haga tu voluntad y no la mía" es una oración que muchas personas elevan a su Dios todos los días. Dice todo lo que necesitamos saber.

Antes de dejar esta sección, necesitamos señalar algo más sobre estos sitios en que podemos tropezar. Al pensar en ellos, puede ocurrir un cambio importante en nuestro interior. Solo cuando damos un paso atrás en relación con nuestras experiencias, aprendemos a vernos separados de ellas, e incluso separados de sus efectos. Piensa en ello en esta forma: intenta decirte esto sobre tus propias experiencias: "Esa es mi historia personal". Luego date cuenta de que estás aquí, comentándolo, con todos los sentimientos que tienes en relación con esa historia. Quizás puedes ver la forma en que estás viviendo los efectos de esa historia en el presente. Luego pregúntate, ¿quién está observando estas dos situaciones?

Cuando te haces esa pregunta, reconoces la existencia del aspecto de ti mismo que observa. Es el "tú" que existe entre dos pensamientos. Es el "tú" que decide bajarse de los caballitos de ser quien eres debido a los sucesos del pasado que te dieron forma. Este es el "tú" que tiene la fuerza para no caer en todas las trampas mentales que hemos descrito.

Eres tú, liberándote.

Eso es lo que se siente observar en lugar de reaccionar. Es un lugar excelente desde el cual aceptar la sincronía y generar más.

20
Todavía más barreras
La necesidad de experiencia

En el nivel más básico necesitamos ambos aspectos de nuestro ser, el divino y el mundano, para poder entregarle al mundo nuestros dones únicos. Tenemos un deber para con nuestra alma, pero también tenemos un deber relacionado con contribuir con el mundo en que vivimos. ¿Pero qué significa contribuir con el mundo? Creo que la respuesta podría ser más sencilla de lo que creemos.

Si estamos buscando significado en el mundo, podríamos luchar. ¿Cuál es el significado de una montaña? ¿Cuál es el significado de un río con ranas y peces? No podemos asignar palabras a esto ni extender nuestra mente para abarcar lo que esto podría ser. Pero podemos experimentar estas cosas. Incluso pedir un "significado" o pedir conocimiento es una manera de pensar que solo podría venir del ego, del cerebro que desea una respuesta o algo que pueda llevarse. Pensar en esa forma (date cuenta de que la palabra "pensar" conecta este proceso con la cabeza) nos deja mirando al mundo que nos rodea como algo de lo que podemos "obtener" algo; en este caso una respuesta. Pero si le preguntamos al corazón lo que valen estos fenómenos físicos, vamos a recibir una respuesta diferente, es decir, que lo que importa es la experiencia de estas cosas.

Un hermoso río o una montaña, o hasta un mosquito que te molesta, estas son experiencias que se mezclan entre el deleite y lo desagradable. El mosquito es un vehículo, pero también desea comerte y tal vez contagiarte de malaria. Experimentamos ambos aspectos al mismo tiempo: el divino y el temporal, lado a lado. Los fenómenos del mundo externo, tan magnificente, tan mezclado, tan desconcertante, están ahí para recordarnos lo que ya sabemos, pero que a menudo preferimos olvidar. Vivimos en ambos mundos en forma simultánea. No podemos apreciar la belleza sin conocer la fealdad; y ahí está el mosquito para recordárnoslo. Pero si pasamos toda nuestra vida preocupándonos por los insectos, haciendo que nuestras casas sean a prueba de insectos y dando pasos para protegernos, nunca llegaremos a apreciar el milagro de la vida, incluso la de los seres más humildes.

Solo experimentando realmente el mundo que nos rodea podremos alguna vez llegar a conocerlo. Como les digo a las personas que asesoro cuando se quejan de tener problemas relacionados con la confianza, uno aprende a confiar, confiando y después la confianza puede crecer. Uno aprende a amar amando. Tal vez acabemos con el corazón roto en repetidas ocasiones, pero eso no significa que la experiencia de un corazón roto no sea una experiencia enriquecedora de la clase más fina. Podría serlo, si deseamos mirarla. ¿Qué prefieres tener? ¿Un corazón que puede romperse o la seguridad de saber que no tienes corazón, así que nunca puede romperse?

Puedo recordar muy bien el haberme enamorado cuando tenía veintitantos años, y me enamoré profundamente; en una forma que tal vez solo podemos manejarlo a esa edad. La mujer de quien me enamoré no tenía sentimientos tan fuertes hacia mí como los que yo tenía hacia ella, así que la relación terminó. Yo sufrí una profunda desilusión. Sabía que algo se había roto dentro de mí, y al mismo tiempo sentí alivio porque a lo largo de varios años había dudado que realmente pudiera enamorarme. Pensé que mi corazón se había secado y había muerto hacía mucho tiempo. Bueno, ahí estaba, sintiendo un dolor espantoso, y fue inmensamente consolador saber que mi corazón todavía estaba ahí. Supe que me recuperaría y podría volver a amar, incluso en medio de la desolación.

Pude haber elegido retirarme de la vida pensando que simplemente no valía la pena, pero en lugar de eso pude ver la vida en forma diferente. Hoy en día, prefiero pensar en esa experiencia como algo muy importante para mí, pero no tengo nada qué "mostrar" como resultado de ella. La mujer misteriosa y hermosa de ojos oscuros no llegó a ser la compañera de mi vida, pero yo supe que había encontrado algo en mi interior que hasta la fecha no sé cómo explicar. La mejor forma en que puedo transmitirlo es a través de esta historia. Tal vez esa sea la única forma de comunicar algo sobre ello, pidiéndote que lo enfatices.

Los dos lenguajes, el de la cabeza y el del corazón, son tan diferentes que es asombroso que no tengamos ataques de esquizofrenia todo el tiempo. Se nos pide que vivamos en dos lugares, y tal vez la solución es vivir en la experiencia de ambos.

Necesitamos estar conscientes de esto y recuperar el equilibrio. Los rituales y los mitos solían hacer esto por nosotros. En mi propia vida me doy cuenta de que, por mera casualidad, he vivido versiones secularizadas de algunos de los grandes rituales que se celebran en otras culturas. Por ejemplo, me mandaron a una escuela lejana en una versión de los ritos de pubertad que son parte de muchas culturas. Como en esas ceremonias, me alejaron de mi madre y de las mujeres que había en mi vida y me confinaron en un internado donde todos éramos muchachos y jóvenes. Era un mundo muy masculino y recibí las heridas de mi ritual jugando en la cancha de rugby, peleando con mis compañeros, y demás.

A través de estas experiencias, llegué a ser independiente, pues no tenía otra alternativa. Fue un rito de paso que se extendió a lo largo de varios años, que para los Masái o los aborígenes australianos habría sido un rito de solo varios días. Pero los miembros de estas tribus sabrían que se trataba de un ritual, un gesto simbólico relacionado con algo más grande que ellos.

Yo no fui tan afortunado. Pensé que así eran las cosas, crueles y sin un valor redentor. Además, para los miembros de las tribus, el ritual se repetía cada año o tal vez después de varios años, dependiendo del número de jóvenes que llegaran a la edad en que debían enfrentarse al ritual. Y al repetirse, la profundidad de su significado llegaba a ser más claro para los que ya lo habían vivido en años anteriores. Veían a los nuevos iniciados y recordaban sus propias experiencias, profundizando su comprensión, mientras que los nuevos se sentían aturdidos y desconcertados, hasta que ellos también obtenían el conocimiento adicional que se gana con la repetición. En estos casos, el pasado nunca termina. Siempre está ahí, en el presente.

Tardé mucho tiempo para poder ver que mi experiencia era una experiencia ritual y no solo un hecho. Cuando lo hice, todo fue diferente. El mensaje que transmite el ritual de la pubertad incluye datos muy básicos y vitales. Los jóvenes que viven en el mundo seguro del ego, con su madre, son introducidos por la fuerza a un mundo diferente. Reciben heridas y deben vivir un periodo de aislamiento en el que se alejan para considerar quiénes son. En este proceso, su ego se subordina al ritual, las expresiones inconscientes de las danzas o ceremonias se experimentan en forma consciente.

Después de ser los pequeños príncipes mimados en el complejo de las mujeres, ahora los jóvenes encuentran que deben enfrentar retos personales y deben entender que son los miembros más jóvenes de la comunidad de hombres. Esto es lo opuesto a su experiencia anterior. El ego, el poder de pensar y vivir a partir de la cabeza, por lo tanto, vuelve a introducirse al lenguaje del corazón con las danzas, los cantos y lo que se siente en el cuerpo. La cabeza descubre que obviamente es útil para ciertas tareas, pero que las tareas más poderosas solo se realizan a través del corazón.

Estas formas antiguas de ritual restablecen la primacía del corazón, al cual deben servir el cerebro y el ego; el corazón no está a su servicio. El ritual nos ayuda a superar las preocupaciones cotidianas, y a regresar a la parte esencial de nosotros mismos donde descubrimos que somos parte de la tierra, que no somos diferentes a ella. Somos parte del ritmo del tiempo y del cambio, pero al experimentar esto, también estamos conectados con lo eterno.

Todo eso está muy bien si sabes que es un ritual y que tiene un propósito. Puedes ver la metáfora y responder a ella. Si no lo sabes, lleva más tiempo encontrar el valor redentor de lo que está pasando. De hecho, se corre el peligro de que en lugar de que la cabeza y el corazón se unan, la mente instale diversos mecanismos de defensa que intentan negar la experiencia o reducirla a una abstracción, y se pierde el aspecto vital de la experiencia. Eso es lo que les pasaba a los chicos del internado. No tenían a su alcance un significado mítico. Solo pensaban que los habían refundido en un lugar muy incómodo. En lugar de llegar a ser sabios y compasivos, se llenaban de resentimiento y de crueldad.

Ahora, después de tantos años, puedo ver el aspecto mítico de la experiencia, pero tal vez habría sido más sano para mí haberlo visto entonces, para poder alinear el mundo consciente con el mundo inconsciente.

Este es un ejemplo extenso, pero es valioso. Cuando dejamos de ver nuestra vida a través de la lente del ego que nos dice: "esto me pasó a mí" y empezamos a ver los patrones que unen a nuestra vida con un contexto mayor, podemos desprendernos de la actitud de víctima. El ego se reduce. Todos somos parte de un patrón que a final de cuentas es misterioso, pero que los seres humanos han reconocido en los rituales y en los mitos desde tiempo inmemorial.

Esa es la razón por la cual he dedicado tanto espacio en estas páginas a citar la literatura y los mitos. El ser capaces de ver nuestra vida como parte de este patrón mítico más amplio, hace posible que nos salgamos del espacio del ego y entremos al flujo, un flujo que es tan antiguo como la humanidad en sí.

Cuando respetamos esta dimensión mítica, existen menos posibilidades de que caigamos en deshonestidades del pensamiento; es decir, esas ocasiones en que nos convencemos de que "en esta ocasión no tendrá importancia". Los mitos nos muestran que esa evasión no es posible, que todo tiene significado. El ego quiere que vivamos en un mundo donde los significados son limitados, donde solo son relevantes para nosotros. Así que mi falta de compasión hacia alguien se relaciona estrictamente con lo molesta que es esa persona, y no con el hecho de que yo no sea cariñoso. Tirar basura tóxica en forma encubierta o solapada llega a ser una acción aislada, algo que no tiene importancia porque nadie lo ve. Bueno, como sabemos, eso no es significativo. Uno de los propósitos de los mitos, como se refleja en la literatura, es impedir que el ego asuma el poder y volver a ponernos en armonía con el mundo en que vivimos.

El hecho de que el ego se desvanezca hacia otra cosa puede verse en una variedad de lugares, si estamos preparados para buscarlo. Esto me hace recordar a Rebecca Warren, una escultora joven, que fue entrevistada por el periódico *UK Guardian*. La entrevista fue una serie de preguntas que requerían respuestas breves, por ejemplo: ¿Quién es tu artista favorito? ¿Cuál es tu idea de la satisfacción perfecta? Y así sucesivamente. Así es como ella respondió a algunas de las preguntas:

¿Te interesa la fama?
Un poco. No mucho.

¿Cuál es el mejor consejo que alguien te ha dado?
"Permanece con ello, no lo fuerces". El artista Fergal Stapleton me dijo esto en 1992.

¿Cómo te gustaría ser recordada?
¿Tengo que ser recordada?

Esa fue la última respuesta. Cuando la leí sentí el deseo de ponerme de pie para aplaudir y lanzar vítores. Esa es la marca característica de un verdadero artista. ¿Qué importancia tiene la fama cuando estás haciendo lo que es vital para ti? No te interesa, no le interesa a nadie, porque te estás comunicando con algo que consideras que es vital que el mundo conozca. Hacerlo es suficiente. Y si eres suficientemente afortunado y estás en un espacio en el que permites que el inconsciente resida en tu interior y luego usas tus destrezas (que brotan de la cabeza y del cuerpo) para servir a las obras del corazón, ¿por qué tendrías que preocuparte por la fama? No tiene sentido. Para empezar, no lo hiciste por la fama. En esos momentos estás en unión contigo mismo y en unión con cualquier cosa que el destino tenga reservado para ti.

En esos momentos, uno entra en armonía con la música del universo.

Así que anímate y hazte esas preguntas; mira si has invertido mucho ego en la forma en que deseas que se desarrolle tu futuro. Mira si puedes ser tan honesto como Rebecca Warren. A todos nos interesa un poco la fama. No seríamos humanos si no nos interesara. Lo que importa es cuánto espacio le reservamos.

21
Canalizar como forma de sincronía

Si consideráramos la idea de estar en contacto con la energía del universo, no podríamos ignorar el tema de la canalización.

Se han identificado muchos tipos diferentes de voces internas. Yo he leído lo suficiente y he visto lo suficiente sobre trastornos de personalidad múltiple para reconocer que las personas, en especial las que han sufrido traumas, pueden en ocasiones separarse de partes de sí mismas que ni siquiera saben que tienen. Estas subpersonalidades pueden surgir como una respuesta a sucesos que las detonan y asumen el poder, a menudo sin que la persona esté totalmente consciente de lo que está sucediendo. Esta defensa psicológica ante los traumas ciertamente existe y no debe confundirse con la canalización, aunque estoy seguro de que en algunos casos se ha confundido con ella.

Muchos ejemplos de mensajes canalizados son absolutamente fascinantes y están llenos de sabiduría. Pero también he leído extractos que han sido "canalizados" por personas que afirman haber sido visitadas por los espíritus, lo que ha hecho que yo me pregunte qué está pasando. A veces siento que un espíritu multidimensional de otra época no tendría infortunios contemporáneos tan extrañamente gramaticales. Pero tal vez eso es solo porque se supone que la voz del espíritu debe llegar a través de una persona viviente. Un escéptico usaría esto como una prueba definitiva de que la canalización solo es un fraude; sin embargo, no estoy tan seguro de que podamos descartar esto con tanta facilidad. Porque si este mundo es tan convincente para nosotros que nos es difícil abrazar lo trascendente, entonces seguramente no puede ser fácil para la energía trascendente comunicarse directamente con nosotros mediante la palabra.

Muchas otras personas han tenido sueños "proféticos", y han visto que lo que vieron en sus sueños se hizo realidad. Jung tuvo esa experiencia cuando predijo el inicio de la Primera Guerra Mundial, como lo registra en su *Libro rojo.* Estoy seguro de que muchas personas pudieron ver que esa guerra estaba a punto de ocurrir, y sin embargo, también estoy seguro de que Jung fue uno de los pocos que pudieron ver el efecto que esta guerra tendría. Jung asegura que estaba en armonía con el Inconsciente Colectivo y esto parece muy sensato. Cuando estamos conectados, verdaderamente conectados, con las energías divinas, todos nos convertimos en canales.[1]

Menciono esto porque muchos de los escritores con quienes he trabajado a lo largo de los últimos 20 años han dicho que, al escribir, descubrieron que eran más sabios de lo que creían. De hecho, puedo pensar en una persona que regularmente vuelve a leer el libro que publicó para recordar lo que transmiten las páginas que ella escribió y ver que hay más perspicacia en ellas de la perspicacia a la que ella habría podido tener acceso.

¿Qué está pasando aquí? Tal vez, cuando las personas canalizan una voz, bien podría ser un aspecto de su propia psique que en realidad es más "sabia" de lo que ellas pueden ser. Tengo la firme sospecha de que tenemos partes de nosotros mismos que son así. Cuando nos alejamos de nuestro propio camino, muy a menudo podemos encontrar verdades que no se nos entregarían a través de una exploración racional. Los sueños actúan en la misma forma. A veces son confusos y a veces nos revelan la realidad que respalda cierto suceso; una realidad que nuestro Inconsciente conoce, pero que nosotros no podemos o no queremos ver estando despiertos y estando conscientes. Esto también es una forma de sincronía.

No obstante, necesitamos considerar esto: existe un factor importante del que debemos estar conscientes en este momento, y es que cuando estos mensajes llegan, nos estamos saliendo de nuestra dimensión presente de conciencia racional y entramos a algo completamente diferente. A veces, existe la posibilidad, aunque no la certeza, de que nos pongamos en contacto con otro tipo de conciencia. Se trata del Inconsciente Colectivo, la sabiduría profunda de la humanidad que llega a nuestra conciencia de vez en cuando... si se lo permitimos.

En esos momentos, podemos ver con claridad cosas que otros tal vez nunca verán. Podríamos percibirlas como visiones, como voces o como ensoñaciones inquietantes. Y a veces vemos lo que necesitamos ver con toda claridad. Los poetas del Trascendentalismo sabían que estaban tocando a la divinidad o que la divinidad los estaba tocando a ellos, cuando la belleza natural los conmovía.

Para los poetas británicos del siglo XIX, William Wordsworth y Samuel Taylor Coleridge, la divinidad estaba presente en todas las cosas y era capaz de expresarse en momentos visionarios de una belleza sorprendente. Wordsworth llamaba a esto "la música quieta y triste de la humanidad"[2] y también se refería a lo que llamaba "puntos de tiempo",[3] en los que las reglas normales del tiempo y el espacio parecían quedar suspendidas. Esta es una visión que fue central para el movimiento del Romanticismo Europeo, del que estos dos poetas fueron exponentes prominentes. Tal vez vieron la canalización como un ejemplo más del hecho de que la Divinidad se hace sentir ante quienes son receptivos, como el dios que está presente en todas las cosas y que da a conocer su presencia.

La popularidad que la "escritura automática" tuvo en esa época y que se decía que ocurría en un estado de semiensoñación, es solo una versión de esto. No estamos suavizando la idea cuando la vemos en esta forma; sino que estamos estableciendo lo prevalente que esto ha sido en una experiencia humana.

El concepto de Wordsworth sobre una membrana permeable que existe entre el mundo ordinario y lo Divino, está presente en todas sus obras. Su poema "We Are Seven" [Somos siete], que se publicó en 1798, es un encuentro con una niña en una zona rural remota, y el poeta le pregunta cuántos hermanos y hermanas tiene. La niña insiste en que son siete, aunque algunos de ellos han muerto. La niña no ve la diferencia entre sus hermanos vivos y los que han muerto, no porque sea tonta, sino porque el amor que hay entre ellos no ha cambiado. Es un poema sorprendente en todos sus aspectos.[4]

Wordsworth no fue el primer poeta que sintió esto, por supuesto, pero fue uno de los primeros poetas de la época moderna que se arriesgó a decir lo que percibía. Antes que él, John Milton, el gran poeta y activista político, tenía el hábito de hacer largos ayunos para inducir visiones y experiencias del otro mundo, que él sentía eran muy parecidas a volar. Y su contemporáneo, Andrew Marvell, se refiere a una experiencia fuera del cuerpo de mucha paz y belleza, en uno de sus poemas más grandiosos.

> Aquí, al pie deslizante de la fuente,
> O en la raíz cubierta de musgo de un árbol frutal,
> Dejando a un lado el ropaje del cuerpo,
> Mi alma se desliza entre las ramas:
> Y ahí, como un ave, se posa y canta,
> Luego abre y arregla sus alas plateadas,
> Y esperando prepararse para un vuelo más largo,
> Ondea en sus plumas diversos tonos de luz.[5]

Cuando su alma se separa del cuerpo en forma temporal, descansa en un árbol como un ave que se está preparando para un vuelo más largo, que posiblemente se refiere a la muerte del poeta, pero él no siente miedo ni agitación.

Marvell estaba vivo y estaba escribiendo en un mundo de cristianismo ortodoxo en el siglo XVII, lo que significaba que la posibilidad de que se le juzgara y se le condenara al infierno por blasfemia, era muy real para él. Sin embargo, Marvell escribió lo que sentía. Recuerda que él era un poeta que ya había dedicado mucho tiempo a escribir poemas sobre el diálogo interno que cada persona tiene en su interior… diálogos que podríamos resumir fácilmente como la lucha del ego contra el corazón. Pero Marvell era un político práctico y sus poemas siempre terminan con un juicio indeciso: se anhela la belleza de lo eterno, pero las necesidades puramente reales y basadas en los hechos parecen exigir que cedamos ante ellas.

Podríamos añadir muchos poetas y escritores a esta presentación, pero eso sería menos importante que reconocer que los poetas no son exactamente iguales a la demás gente en este aspecto. Deepak Chopra ha dicho en varias ocasiones que él y Wayne Dyer estuvieron de acuerdo en muchas cosas, incluyendo el hecho de que los poetas "llegan al corazón de la creación".[6] Ese es un sentimiento que también compartió Joseph Campbell quien lo repitió en muchas ocasiones. Los poetas son personas que pueden describir las experiencias que existen más allá del ámbito normal de las palabras. Esta conexión con lo Divino está en el centro de la sincronía.

Lo que aprendemos de esto es que es el hecho de registrar experiencias visionarias es mucho más común de lo que pensamos. Sucede que a lo largo de los últimos 200 años, se ha considerado que las experiencias "racionales" del ego son más valiosas, más importantes. Y por eso se ha silenciado a los grandes escritores, a menudo quienes los han silenciado son personas que solo ignoraron sus mensajes o trataron de descartarlos. Esta era está a punto de terminar.

Me gustaría dar un paso más y decir que la mayoría de los seres humanos anhelan este tipo de conexión, anhelan algo más grande; anhelamos tocar a la Divinidad. Esto se revela normalmente en los conciertos de música, en las obras teatrales y otros espectáculos. Apreciamos el teatro porque en él vemos que los actores, que tal vez estén representando personas que parecen individuos ordinarios, pasan a través de un patrón que puede mostrarnos algo que no habíamos visto o conocido antes. Al hacerlo, si la representación de la obra teatral es buena, sentimos emociones que son como las nuestras y al mismo tiempo son más grandes que nosotros y nos conectan con algo transpersonal. Lo divino se transmite a través de esto y nos conmovemos, nos sentimos más vivos y se nos recuerda que la vida es una experiencia más rica de lo que normalmente reconocemos en nuestra vida llena de ocupaciones.

¿Por qué, entonces, limitamos esta experiencia solo a lugares "aceptables" como los teatros? Creo que es porque el mundo racional de nuestro trabajo cotidiano con el que pagamos la renta toma la delantera sobre nuestro mundo interno de visiones para el que es muy difícil hacer pagos. Este desequilibrio es lo que tiene que cambiar para que el mundo cambie. Es un cambio valioso, como dice el poeta William Blake en "Augurios de Inocencia":

> Ver un mundo en un grano de arena,
> Y un cielo en una flor silvestre.
> Sostener el infinito en la palma de tu mano,
> Y tener una eternidad en una hora.[7]

Podemos hacer esto siempre que queramos hacerlo, si lo deseamos. Podemos ver ese grano de arena y alejarnos de la rutina diaria de hechos que se estancan. Podemos estar conscientes de las cosas desagradables que hay en la tierra y sin embargo vemos cosas magnificentes, cosas que tocan nuestro corazón y nos ponen en contacto con la eternidad. Pero no podemos incluirlos en nuestro currículum vitae y esperar conseguir un empleo. Al menos no todavía.

Cuando existimos en una aceptación armoniosa de la naturaleza y de las estaciones, que es lo que se supone que los mitos deben ayudarnos a hacer para que podamos sentir que nuestra vida tiene cierta forma, podemos ver a través de las actividades de cada día y encontrar el elemento eterno que hay en ellas. En ese momento, todo podría volverse santo y todo puede ser una oración. Lavar los platos puede ser un acto de meditación. Claro que ocurren cosas que nos hacen sufrir. Las criaturas se matan y se devoran entre sí, la enfermedad se presenta al igual que el sufrimiento, pero si vemos estos sucesos como consecuencias inevitables de estar vivos, no tendrán el mismo poder para desconcertarnos. El deterioro, la enfermedad y la muerte son cosas que los seres humanos deben experimentar, pero no estamos dispuestos a darnos por vencidos debido a eso. Si lo hiciéramos, nos daríamos por vencidos cuando sufriéramos nuestro primer resfriado.

Morir es nuestro destino. También es nuestro destino no saber con certeza lo que nuestras acciones podrían crear más tarde en el curso de las cosas, cuando estemos muertos. Por tanto, lo que se nos exige es vivir en este mundo con todas sus imperfecciones, con todas sus tentaciones, y a pesar de todo comportarnos de la mejor manera que nos sea posible.

Esto hace que volvamos a la pregunta: ¿de dónde viene esta sabiduría canalizada y por qué a veces es tan desconcertante? Tal vez haya una respuesta. La sabiduría que recibimos, las voces que algunos de nosotros escuchamos, podrían venir del cosmos o de Dios, ¿quién podría saberlo? Pero hay algo que sí sabemos, y es que cuando estamos en armonía con el cosmos, cuando el ego ha disminuido, entonces podremos alcanzar lo que Eileen Caddy llamó "el Dios en tu interior", lo que los budistas llaman "Lo Divino en tu interior". Cuando actuamos a partir de ese lugar central, lo importante es que escuchemos lo que se dice.

Eileen Caddy es muy específica cuando explica la canalización. Le pidió David Spangler, un colega en el campo de la canalización, que le pidiera a "John", su sensibilidad superior, una explicación sobre la voz que ella estaba escuchando. Esto fue lo que surgió:

> La voz que escuchas es una amalgama de tu propia conciencia y la fuente. Lo que escuchas no es la fuente, sino su siervo. Ahora tú debes expandirte y crecer de modo que tu relación con tu fuente, una energía vital que no es posible expresar en palabras, pueda crecer. A partir de esa relación vendrá una nueva voz, o tal vez una comunicación más plena.
>
> Dios no es un abstracto sino una relación [...] Detrás de la voz, entonces, hay una fuente que es tu verdadera naturaleza, hacia la que estás intentando crecer siempre con mayor plenitud.[8]

Esto nos dice que la voz de la Fuente, la energía primordial del Universo, solo puede llegar a nosotros en formas que podemos escuchar en el nivel de conciencia en que estamos viviendo. Esto significa que, en cierta medida, todos tenemos la experiencia de Dios que somos capaces de imaginar. La dificultad para nosotros, los seres humanos, es que el Dios que tenemos en nuestra imaginación podría ser precisamente lo que impide que veamos y escuchemos a la Divinidad. Nos agradan las cosas que nos agradan de la versión de Dios que tenemos ahora, y queremos aferrarnos a ellas.

A medida que nuestra capacidad consciente se expande, podríamos descubrir que nuestra versión de Dios ya no es suficientemente grande para comprender lo que podría ser la Divinidad. En relación con esto, debemos recordar esta frase: "Cuando yo era niño... pensaba como niño; pero cuando me convertí en un hombre, dejé a un lado las cosas de los niños".[9] Tenemos que hacer a un lado estos hábitos y las cosas que hemos superado, y tal vez tengamos que hacerlo una y otra vez, en la misma forma en que tenemos que hacer a un lado nuestra versión de Dios o de la energía Divina que ya hemos superado para permitir que una versión de nivel más alto entre a nuestra vida.

Algunas experiencias de canalización podrían ser difíciles de comprender si simplemente somos observadores, porque en esencia son comunicaciones privadas entre la versión particular de Dios que hay en el interior y la persona involucrada. Podemos aprender de estas experiencias, pero a menudo básicamente son lecciones individuales, enseñanzas espirituales dirigidas a una persona y diseñadas para impulsar a esa persona paso a paso. Existen como la forma en que el corazón de una persona entra en armonía con la Divinidad, y esa sabiduría habla con esa persona específica, y como hemos visto, la sabiduría del corazón solo se activa plenamente cuando está en armonía con la energía del universo. Esto es una versión de la sincronía.

22

La naturaleza del trayecto futuro

Quizás la única conclusión para un libro como este es considerar que el camino hacia delante, para todos nosotros, podría no tener un destino específico. No hay un sitio final que tengamos que identificar. Por tanto, la naturaleza de lo que hacemos con nuestra vida debe tener una relación con lo que somos en este momento, y eso significa que debemos estar constantemente en un estado de "llegar a ser". Cuando se ve en esta forma, el trayecto a lo largo de nuestra vida se vuelve incluso más interesante, porque sabemos que siempre habrá más puertas que podemos abrir y más lugares profundos que podemos explorar. El verdadero final es el trayecto en sí, y no podemos perdernos mientras sigamos nuestra dicha auténtica, nuestro impulso interior.

Sabemos la sensación que esto produce y sabemos que no se nos puede desviar de ello durante mucho tiempo. Anhelamos regresar a él, pues en ese espacio somos quienes se supone que debemos ser. La sincronía y las "coincidencias" que proporciona la mano que nos guía nos señalan que estamos en el camino correcto, mientras nos guían hacia el siguiente paso que debemos dar. Nos dan seguridad y nos ayudan. Pero cuando nos desviamos del camino donde puede alcanzarnos la energía de otra dimensión, dejamos de recibir sucesos en sincronía, dejamos de sentir la libertad que viene de estar realmente en el flujo, y sabemos que nos hemos desviado de donde necesitamos estar.

Si estamos alerta a esto, la respuesta es relativamente simple: debemos preguntarnos qué hizo que nos desviáramos del camino e intentar eliminar esa interferencia. Se podría decir que somos como aparatos de radio o televisores antiguos con antena. Recibimos estos mensajes desde otro lugar, mensajes que no podemos ver, pero que podemos hacer perceptibles a través de nuestra capacidad consciente. Y cuando una transmisión se pierde porque hemos ajustado nuestros receptores internos a la frecuencia errónea, perdemos la imagen, la música deja de sonar y lo único que captamos son líneas de interferencia y el fuerte zumbido de la estática. Si somos sensibles a esto, no podemos estar mal durante mucho tiempo. La energía nos guiará. Siempre lo ha hecho.

Ahora bien, si hace un poco más de cien años hubiera yo usado esa comparación con las ondas de radio y de televisión, la gente habría pensado que estaba yo loco. ¡Eso sería imposible! ¡Voces que llegaran a través del aire sin cables! ¿Imágenes transmitidas por el éter? ¡Qué tontería! Hoy en día sabemos que esto puede ocurrir y ocurre. Tal vez dentro de cien años tendremos otro lenguaje para explicar cómo opera la Mano que nos Guía, y se entenderá como algo ordinario. ¿Quién sabe? Y en realidad eso no importa. Necesitamos usar lo que nos llega, no discutir sobre el mecanismo a través del cual llega. Utilizamos la gravedad todos los días y sin embargo nadie lo entiende totalmente. Eckhart Tolle es muy elocuente a este respecto:

No eres simplemente un fragmento carente de significado en un universo extraño, que ha quedado suspendido brevemente entre la vida y la muerte y al que se le han permitido placeres efímeros seguidos de dolor y de una aniquilación final. Debajo de tu forma externa, estás conectado con algo tan vasto, tan inconmensurable y tan sagrado que no puede describirse con palabras... Sin embargo, yo estoy hablando de ello ahora. No estoy hablando de ello para darte algo en lo que puedas creer, sino para mostrarte cómo puedes conocerlo por ti mismo.[1]

Rumi da un consejo que nos ayudará a todos:

Sigue caminando aunque no haya un lugar al cual llegar.
No trates de ver a través de las distancias.
Eso no es una tarea para los seres humanos. Muévete a tu interior.
Pero no te muevas como el miedo hace que te muevas.[2]

Al final, la sincronía es un camino, una serie de impulsos, a lo largo del camino hacia algo que tal vez nunca alcancemos, pero que sigue siendo una meta valiosa. Cuando nos hayamos purificado de los errores que hemos examinado en estas páginas, (y tal vez también de algunos errores más que son específicos para cada uno de nosotros), cuando nos hayamos desprendido del ego y hayamos remplazado ese aspecto turbulento de nuestros deseos con compasión, comprensión y con una aceptación profunda, entonces sabremos lo que es nuestra naturaleza espiritual. En ese momento podremos hacer realidad nuestra unión con el Ser Eterno. En ese momento, la sincronía será completa.

Epílogo

Mientras escribía este libro, estuve consciente de las numerosas sincronías e inspiraciones que me guiaron a lo largo del trayecto. El material parecía surgir en todos los lugares donde yo iba... si estaba yo preparado para escucharlo y recibirlo en mi vida. Esto me dio confianza, ya que escribir un libro sobre la sincronía y no sentir su presencia en mi vida todos los días, habría sido como empujar un camión lleno de rocas por una colina empinada y llena de arena; lo habría yo sentido como una fuerza, no como un flujo. No tenía yo la intención de trabajar contra mis propias observaciones y principios.

En vista de que gran parte de lo que aparece aquí cuenta con el respaldo de lo que otras personas han dicho y pensado en ocasiones, llegué a preguntarme si simplemente estaba yo repitiendo grandes segmentos de lo que otros habían dicho antes en forma diferente, y que yo había absorbido a lo largo de la vida. Esto podría ser verdad. Lo único que puedo decir es que este no es conocimiento nuevo. Esta idea de la interrelación del destino, la Mano del Universo que nos Guía, la sincronía, la suerte y nuestro papel personal para colaborar con la suerte... no es un concepto nuevo; es tan antiguo como la humanidad. También parece, dolorosamente, que hemos olvidado mucho de lo que en cierta época fue un conocimiento sobre estas cosas logrado con esfuerzo y que es necesario que algo nos lo recuerde para que no caigamos en las trampas del ego que se nos presentan y que son tan numerosas.

Cuando se les ve desde fuera, las personas que están en el flujo de la sincronía podrían parecer los elegidos de Dios o del Destino, los seres bendecidos de nuestro mundo. Pero si se les ve desde dentro, los que han experimentado la sincronía te dirán que se requiere trabajo, devoción y estar alerta. Requiere que escuchemos y permanezcamos en calma ante la incertidumbre. Requiere sacrificio, si renunciar a las recompensas del mundo del ego pudiera verse como un sacrificio. Sin embargo, proporciona un profundo sentido de gozo que es muy superior a cualquier objeto físico que pudiéramos poseer, desear o querer adquirir. Estar ahí es una recompensa.

NOTAS FINALES

Introducción

[1] "La noche oscura del alma" es una frase que se atribuye a San Juan de la Cruz, un poeta y místico español de la Iglesia Católica.

Capítulo 1

[1] La cita de Vonnegut es de *Barba Azul: Bluebeard* (New York: Delacorte, 1987), p. 216, y el personaje es Rabo Karabekian.

[2] La entrevista de Deepak Chopra con Jean Houston se grabó en La Costa, California. 3/1/10. Ver: www.youtube.com/watch?v=3pfO2X5An4s.

Capítulo 2

[1] Arthur Schopenhauer. "Transcendent Speculation on the Apparent Deliberateness in the Fate of the Individual" (1851). Reimpreso en *Parerga and Paralipomena: Short Philosophical Essays.* Volumen I (Cary, NC: Oxford University Press USA, 2001).

[2] La historia de Robert the Bruce se ha narrado ampliamente.

[3] Para la historia de Tamerlán, ver por favor: http://www.silkroaddestinations.com/uzbekistan.html.#shz.

[4] El relato de Alfredo y las tartas que se queman se contó por primera vez en el siglo XII y es tan popular que incluso aparece en el sitio web de la Familia Real Británica: http://www.royal.gov.uk/History of the Monarchy/KingsandQueensofEngland/TheAnglo-Saxonkings/AlfredtheGreat.aspx.

Capítulo 3

[1] Para mayor información, por favor ver el artículo de John Chitty, RPP, RCST, The Heartis not a Pump, www.energyschool.com/downloads/The_Heart_is_not_a_Pump-chitty.pdf.

[2] *The Bhagavad Gita*. Traducido al inglés por Eknath Easwaran. (Tomales, CA: Nilgiri Press, 1985), sección 3:9, p. 105.

[3] Joseph Campbell, *The Wisdom of Joseph Campbell*, New Dimensions audio CD set (California: Hay House, 1997).

[4] Entrevista de Baptist de Pape; Baptist presentó el informe de la conversación. 2009.

[5] Eric Maisel. *Fearless Creating: A Step by Step Guide to Creating and Completing Your Work of Art* (Los Angeles: Tarcher, 1995).

[6] Andrew Cohen, citado por Michael Wombacher. *11 Days at the Edge* (Scotland: Findhorn Press, 2008).

Capítulo 4

[1] Patti Smith, *Just Kids* (New York: HarperCollins, 2010), p. 240.

Capítulo 5

[1] Alan Cohen, una cita que se ha reimpreso ampliamente.

[2] *Ibid*. Ver también: *http://weboflife.org.uk/wiki/Quotes/WordsToLight YourWay*.

[3] Puede encontrarse una explicación breve y clara de karma y dharma en un artículo de Einar Adalsteinsson, Sociedad Teosófica de Islandia, Junio de 1996, *www.gudspekifelagid.is*. Tengo una deuda con Thierry Bogliolo por señalarme esto. Puede encontrarse una exposición más completa en *El Dhammapada*, traducido al inglés por Eknath Easwaran (Tomales, CA: Nilgiri Press, 1985). La introducción es excelente.

Capítulo 7

[1] Cabello Pegajoso. Para una versión más completa de esta historia, ver: Joseph Campbell, *The Hero with a Thousand Faces* (Princeton, NJ: University Press, 1973), p. 85-89. En esta versión, el Príncipe Cinco Armas llama "rayo" al poder que tiene en su interior, lo que debe entenderse como el poder del conocimiento de que las cosas no son meramente físicas.

[2] La cita es del tráiler de Warner Brothers para la película *Harry Potter and the Deathly Hallows, [Harry Potter y las reliquias de la muerte]*, 2010.

[3] Joe Simpson. *Touching the Void: The True Story of One Man's Miraculous Survival* (New York: Perennial, 2004).

Capítulo 8

[1] Inanna y Ereshkigal. El mito aparece en S. N. Kramer, *Sumerian Mythology*, American Philosophical Society Memoirs, Vol. XXI; Philadelphia, 1944. p. 86-93. La mitología sumeria es importante en este tratado ya que es la fuente de las tradiciones de Babilonia, Asiria, Fenicia y Bíblica. Ver también: Joseph Campbell, *The Hero with a Thousand Faces*, p. 108. Campbell afirma que Innana es el modelo de una serie de diosas posteriores: Ishtar, Astarté, Afrodita y Venus, *op.cit.*, p. 213-214.

[2] Ver: Joseph Campbell, serie de CDs *The New Dimensions Media, op.cit*.

[3] Rumi. *The Book of Love*. Traducido al inglés por Coleman Barks (Harper San Francisco, 2003), p. 123. Todas las referencias de Rumi se tomaron de esta excelente edición.

Capítulo 9

[1] Aquí se describen los Misterios Eleusinos como aparecen en el libro de Pietro Asa Bowl, según la interpretación de Joseph Campbell, en su magistral exposición de *Mythos I*, disco 2, Serie PBS, 1996 y 2007.

[2] Recientemente pude ver una repetición de la película *Speed*, de Sandra Bullock, producida primero por Twentieth Century Fox en 1994. En ella, el villano es un policía que había sido bueno, pero cayó en la maldad (la Sombra es un reflejo de nuestros impulsos negativos) que persigue salvajemente al héroe y a la heroína. La persecución termina con un descenso al sistema del tren subterráneo (o sea, al Inframundo). El policía malvado acaba muerto y el buen policía imperturbable (Keanu Reeves) logra salvarse y salvar a Sandra Bullock. Ellos acaban teniendo una relación romántica que refleja el encuentro del *animus* con el *anima*. Es un patrón mítico familiar, vuelto a elaborar.

Capítulo 10

[1] Eileen Caddy. *God Spoke to Me* (Scotland: Findhorn Press, 1992), p. 31.

[2] Virgilio. *Eneida*, VI, 892. Existen traducciones excelentes. La que se cita en inglés es de: http://www.poetryintranslation.com/PITBR/Latin/VirgilAeneidVI.htm#_Toc2242944.

[3] Deepak Chopra, en una conversación; el informe es de Baptist de Pape.

[4] Wayne Dyer; la cita es de su sitio web *http://www.drwaynedyer.com/articles/you-are-god-an-in-depth-conversation-with-dr-wayne-dyer.*

[5] "Born Under a Bad Sign", letra de William Bell y Booker T. Jones, grabada originalmente por Albert King. Cream grabó su versión en 1968.

Capítulo 11

[1] Cat Bennet. *The Confident Creative: Drawing to Free Hand and Mind* (Scotland: Findhorn Press, 2010).

[2] Anne Lamott. *Bird By Bird: Some Instructions on Writing and Life* (New York: Anchor Press, 1995). La frase de Lamott: "borradores iniciales muy malos [really shitty first drafts]" también aparece en el libro de Lisa Garrigues, *Writing Motherhood* (New York: Scribner, 2008), p. 168.

[3] *The World's Fastest Indian,* dirigida por Roger Donaldson, protagonizada por Anthony Hopkins (Magnolia Pictures, 2005).

[4] Joseph Campbell se refirió con frecuencia a "el llamado" en sus numerosas conferencias y libros. De nuevo, lo mejor que puedo hacer es referir al lector que le interese este tema a su serie de cuatro CDs *The Wisdom of Joseph Campbell* (New Dimensions Media, 1997), que contiene lo más destacado de más de doce años de entrevistas con Campbell.

[5] Carlos Ruiz Zafón. *The Shadow of the Wind* (New York: Penguin, 2005), p. 444.

[6] La cita de Úrsula Le Guin se ha grabado ampliamente; ver: *http://www.goodreads.com/author/quotes/874602.Ursula_K_Le_Guin.*

[7] La historia de Jonás y la ballena y el periodo que pasó en Nínive se encuentra en *El libro de Jonás,* capítulos 1-3.

[8] "La Experiencia de Tierra Santa" *(The Holy Land Experience)* se describe meticulosamente en la Wikipedia. Agradezco a Nicky Leach, que escribió un artículo de viajes sobre ella, por dármela a conocer. El Museo de la Creación de Kentucky se documenta en varios sitios web y reseñas. Todo ello representa material de lectura fascinante.

[9] William Shakespeare. *Hamlet,* Acto V, Escena 2, líneas 10-11.

Capítulo 12

[1] Rumi. *The Book of Love, op.cit.,* p. 146.

Capítulo 13

[1] William Shakespeare. *Hamlet,* Acto 2, Escena 2, línea 246.

[2] Las palabras de John Lennon son de su *single,* "Watching the Wheels", que se dio a conocer en 1981, después de su muerte.

Capítulo 14

[1] El comentario sobre "Gorrita Roja" que aparece aquí se basa en la versión que aparece en *The Complete Grimm's Fairy Tales* (New York: Pantheon, 1972). Es la mejor edición de los cuentos que está disponible.

[2] Howard Thurman. Esta cita se ha reproducido ampliamente, incluso en la Wikipedia. No se conoce con exactitud la página de esta referencia en las obras de Thurman.

[3] Oprah Winfrey. O, *The Oprah Winfrey Magazine,* 13 octubre 2009, "What I Know for Sure". La cita también aparece en su sitio web: *http://www.oprah.com/omagazine/What-Oprah-Knows-for-Sure-About-Destiny.*

Capítulo 15

[1] Esto es lo que Nicky Leach, terapeuta experto en terapia craneosacral, tiene que decir sobre este proceso para eliminar la energía negativa: "Los animales desactivan el sistema nervioso simpático

eliminando la adrenalina físicamente a sacudidas y volviendo al estado parasimpático; los seres humanos, con las respuestas naturales que predominan en los centros cerebrales superiores, permanecen en un estado simpatético activado, a menos que hagan algo tangible y físico como lo hacen los animales para liberarse de ello". Peter Levine explora en detalle esta idea en *Waking the Tiger: Healing Trauma [Despertando al tigre: sanando traumas]*, North Atlantic Books, 1997), que trata los temas del estrés y del trastorno por estrés postraumático.

2 La cita de Charles Swindoll se tomó de *Attitudes* (Grand Rapids: Zondervan, 1995) y se ha repetido ampliamente en otros lugares.

3 W. H. Murray. *The Scottish Himalayan Expedition* (1951), editor desconocido. Esta cita ha circulado ampliamente y Julia Cameron la usa en *The Artist's Way*, (Los Angeles: Tarcher, 1992). Ver también: *http://www.goethesociety.org/pages/quotescom.html.*

Capítulo 16

1 Thích Nhât Hạnh, *Peace Is Every Step: The Path of Mindfulness in Everyday Life* (New York: Bantam, 1992).

Capítulo 17

1 Christian D. Larson. *Your Forces and How to Use Them.* (Nabu Press, 1912, reprinted 2010), p. 21.

2 Eileen Caddy. *God Spoke to Me,* op. cit., p. 83.

Capítulo 18

1 Dr. Christiane Northrup, *Women's Bodies, Women's Wisdom: Creating Physical and Emotional Health and Healing.* Third Edition. (New York: Bantam, 2006).

2 Louse Hay, *You Can Heal Your Life.* (Carlsbald: Hay House, 2005).

Capítulo 19

1 Lilou Macé, *http://www.cocreatingourreality.com.*

[2] *The Rig Veda*. Traducido al inglés por Ralph T. H. Griffith, 1896. Reimpresión (Forgotten Books, 2008), Libro 1, Himno 164, versos 20-22.

[3] Las palabras de Moisés se citan del *Deuteronomio* 6:16, donde menciona a los Judíos en Massá, un episodio que se describe en Éxodo 17:5.

Capítulo 20

[1] Entrevista de Rebecca Warren, *The Guardian*, por Laura Barnett, 7 de abril de 2009. *www.guardian.co.uk/artanddesign/2009/apr/07/sculptor-rebecca-warren*.

Capítulo 21

[1] Si le interesa al lector, debería consultar las obras del biólogo Rupert Sheldrake, que da a este fenómeno el nombre de "resonancia mórfica" [morphic resonance].

[2] "La música quieta y triste de la humanidad" [*The still sad music of humanity*] aparece en el poema "Tintern Abbey" de William Wordsworth, línea 91, escrito el 13 de julio de 1798.

[3] "Puntos de tiempo" [*Spots of time*] aparece en el poema "The Prelude" de William Wordsworth, libro 12, línea 208, edición de 1805.

[4] "Somos Siete" [*We are Seven*] apareció en *Lyrical Ballads* (1798).

[5] Andrew Marvell, "The Garden", versos seis y siete.

[6] Deepak Chopra. "How to Get what You Really Want" Parte 7. Ver: *Youtube.com/watch?v=o79gCTCjdu*. Grabado en diciembre de 2008.

[7] William Blake. "Auguries of Innocence", que se ha reimpreso ampliamente. El poema fue escrito en 1803.

[8] Eileen Caddy. *Flight into Freedom*, (Scotland: Findhorn Press, 2002), p. 196.

[9] La Biblia. *I Corintios*, 13:11.

Capítulo 22

[1] Eckhart Tolle. [*The Power of Now: A Guide to Spiritual Enlightenment*] (Novato: New World Library, 2004). La cita también apare-

ce en diversos sitios web, como: *http://peacefulrivers.homestead.com/EckhartTolle.html*.

[2] Rumi, *op. cit.*, p. 149.

Bibliografía Selecta

Adalsteinsson, Einar. "Dharma and Kharma." Theosophical Society in Iceland, June 1996. www.gudspekife lagid.is.

Bhagavad Gita, The. Traducido por Eknath Easwaran. Tomales, CA: Nilgiri Press, 1985.

Caddy, Eileen. *God Spoke To Me.* Scotland: Findhorn Press, 1992.

Flight into Freedom. Scotland: Findhorn Press, 2002.

Campbell, Joseph. *The Wisdom of Joseph Campbell.* New Dimensions CD set. Carlsbad, CA: Hay House, 1997.

The Hero with a Thousand Faces. New Jersey: Princeton University Press, reimpresión, 1968.

Csikszentmihalyi, Mihaly, *Creativity: Flow and the Psychology of Discovery and Invention.* New York: Harper Perennial, 1997.

Finding Flow: The Psychology of Engagement with Daily Life. New York: Basic Books, 1998.

The Complete Grimm's Fairy Tales. New York: Pantheon, 1944 and 1972.

Dhammapada, The. Traducido por Eknath Easwaran. Tomales, CA: Nilgiri Press, 1985.

Hay, Louise. *You Can Heal Your Life,* Carlsbad, CA: Hay House, 1984.

Hunter, Allan G. *Princes, Frogs and Ugly Sisters: The Healing Power of the Grimm Brothers' Tales.* Scotland: Findhorn Press, 2010.

Maisel, Eric. *Fearless Creating: A Step By Step Guide to Creating and Completing Your Work of Art.* Los Angeles, CA: J. P. Tarcher, 1995.

Myss, Caroline. *Anatomy of the Spirit: The Seven Stages of Power and Healing.* New York: Three Rivers Press, 1997.

Northrup, Christiane. *Women's Bodies, Women's Wisdom.* New York: Bantam (*new edition*) 2010.

Rumi. *The Book of Love.* Traducido por Coleman Barks. San Francisco, CA: HarperSan-Francisco, 2003.

Schopenhauer, Arthur. "Transcendent Speculation on the Apparent Deliberateness in the Fate of the Individual" (1851). Reimpreso en *Parerga and Paralipomena: Short Philosophical Essays.* Volumen 1. Cary, NC: Oxford University Press USA, 2001.

Simpson, Joe. *Touching the Void: The True Story of One Man's Miraculous Survival.* New York: Perennial, 2004 (edición revisada).

Smith, Patti. *Just Kids.* New York: HarperCollins, 2010.

Thích Nhât Hạnh. *Peace Is Every Step: The Path of Mindfulness in Everyday Life.* New York: Bantam, 1992.

Tolle, Eckhart. *The Power of Now: A Guide to Spiritual Enlightenment.* New York: New World Library, 2004.

Sobre el Autor

Allan G. Hunter nació en Inglaterra en 1955 y terminó todos sus estudios en la Universidad de Oxford, que culminaron con un doctorado en Literatura Inglesa en 1983. Su primer libro fue *Joseph Conrad and the Ethics of Darwinism [Joseph Conrad y la ética del darwinismo].* En 1986, después de trabajar en el campus Británico de la Universidad Fairleigh Dickinson y en la Comunidad Terapéutica Peper Harow para adolescentes perturbados, se fue a vivir a Estados Unidos. A lo largo de los últimos veinte años, ha sido terapeuta y profesor de literatura en Universidad de Curry en Massachusetts. Ha escrito dos libros que se centran de manera específica en usar ejercicios de escritura y de dibujo como terapia: *The Sanity Manual [El manual de la cordura]* y *Life Passages [Pasajes de la vida].* Ambos libros se basan en sus revolucionarios ejercicios de escritura, cuya eficacia se ha puesto a prueba y se ha comprobado en sesiones de asesoría personal y en clases. Mientras trabajaba en esta forma con sus clientes, empezó a descubrir la presencia de una serie de arquetipos en los escritos de estas personas. Esto lo llevó a su trabajo actual sobre la formulación de las seis etapas arquetípicas del desarrollo espiritual.

Hace cuatro años, empezó a enseñar en el Instituto de Escritura Blue Hills y ha permanecido ahí desde entonces, trabajando con los estudiantes para explorar el campo de la escritura de sus memorias y experiencias de la vida. Su propia experiencia en este medio se refleja en *From Coastal Command to Captivity; The Memoir of a Second World War Airman [Del comando costero a la cautividad; memorias de un piloto de la Segunda Guerra Mundial]*, un proyecto en el que trabajó con su padre hasta el momento de su muerte. Se requirió un extenso trabajo en las redes para terminar de escribir estas memorias. Como en todos sus libros, el énfasis está en la capacidad de sanar que tienen estos relatos que tejemos para nosotros mismos con el fin de conectarnos con los relatos arquetípicos de nuestra cultura.

Para mayor información, ver http://allanhunter.net/.

TÍTULOS DE ESTA COLECCIÓN

Cómo leer el rostro. *Richard Webster*

El camino de la sincronía. *Allan G. Hunter*

El misterio de la reencarnación. *J. Allan Danelek*

El viaje de las almas. *Michael Newton*

Formulario completo de aceites mágicos. *C. Reyne Heldstab*

Momentos milagrosos de la vida. *Ekissa Al-Chokhanchy*

Puertas hacia vidas pasadas y vidas futuras.
J. H. Slate y C. Llewellyn W.

Sanar la causa oculta. *Sandy C. Newbigging*

Viviendo la ciencia de la mente. *Dr. Ernest Holmes*

Impreso en los talleres de
MUJICA IMPRESOR, S.A. de C.V.
Calle camelia No. 4, Col. El Manto
Deleg. Iztapalapa, México, D.F.
Tel: 5686-3101.